CÓMO TENER ÉXITO EN LAS VENTAS

WITHDRAWN

ROBERT HELLER

grijalbo

UN LIBRO DE DORLING KINDERSLEY
www.dk.com

Editora: Jane Cooke
Diseñadora: Juliette Norsworthy
Director artístico: Arthur Brown

Diseño DTP: Jason Little
Control de producción: Silvia La Greca

Editora de la serie: Adèle Hayward
Editora artística de la serie: Tassy King

Directores de edición: Stephanie Jackson,
Jonathan Metcalf
Director artístico: Nigel Duffield

Título original: *Essential Managers: Selling Successfully*

Traducción de: Xebi Solé

Copyright © 1999 Dorling Kindersley Limited, Londres
Copyright del texto © 1999 Dorling Kindersley
Limited, Londres
Copyright de la edición en castellano
© 2000 Grijalbo Mondadori, S.A.
Aragó 385 – Barcelona
www.grijalbo.com

ISBN 84-253-3463-2

Impreso en Hong Kong

ÍNDICE

CÓMO TRATAR CON LOS CLIENTES

CÓMO DIRIGIR UN EQUIPO DE VENTAS

CÓMO CERRAR CON ÉXITO UNA VENTA

INTRODUCCIÓN

Un servicio de ventas eficaz y productivo influye decisivamente en el éxito de casi todas las empresas. Ya sea usted un vendedor que trabaja directamente con el cliente o el director de un departamento de ventas, para conseguir los mejores resultados, además de conocer sus productos, necesitará comprender a sus clientes y desarrollar las aptitudes comunicativas necesarias para cerrar una venta. Cómo tener éxito en las ventas analiza todos los aspectos de una operación de venta y le ofrece consejos para afrontarla, organizarse, comprender y ocuparse de las necesidades de los clientes, y desarrollar aptitudes básicas como negociar o presentar un producto. Este manual, que proporciona recursos valiosísimos para dirigir un equipo de ventas, le ofrece 101 pequeños consejos. Por último, un ejercicio de autovaloración le permitirá juzgar y mejorar sus aptitudes.

Cómo preparar una venta

Las ventas son la base del éxito de cualquier empresa. Ponga los cimientos para tener éxito en las ventas aplicando principios y técnicas a largo plazo y desarrollando sus aptitudes básicas.

Busque el éxito

Cuando una venta es realmente productiva, todo el mundo sale ganando. Los buenos vendedores ofrecen buenos tratos a sus clientes; los malos, proponen malos tratos. Si los clientes creen haber realizado una buena compra, estarán satisfechos y, probablemente, volverán a negociar con usted.

CONSIGA UN AUTÉNTICO ÉXITO

El éxito de un vendedor no radica en cerrar la venta; además debe:
● Satisfacer al cliente.
● Obtener buenos beneficios para la empresa.
La satisfacción del cliente dependerá del valor de la proposición que realice y presente. El rendimiento de un vendedor se analiza a partir del volumen de ventas, un método sencillo de aplicar pero que ofrece resultados engañosos. Este es el caso de las ventas en las que el vendedor ofrece descuentos o condiciones que no la rentabilizan.

El apoyo del director de ventas constata los beneficios a largo plazo de la venta.

FOMENTE LAS ASOCIACIONES CON LOS CLIENTES

La relación comercial con mayores posibilidades de éxito es la de proveedor. En la actualidad, muchas empresas ceden todas o gran parte de sus actividades a uno o dos proveedores para que colaboren en su ejecución. Todos los beneficios de esta cooperación los comparten ambas partes. Para establecer este tipo de relación comercial, debe invertir tiempo y esfuerzo en descubrir cómo satisfacer las necesidades de la otra empresa. Dispóngase a compartir proyectos de negocios y a colaborar en la investigación y el desarrollo de la empresa. Para que una asociación sea plenamente eficaz es necesario un equilibrio de poder entre sus dos miembros. Si el comprador domina la relación, refuerce su posición y viceversa.

Descubra las necesidades del cliente con la mayor rapidez posible.

> **El vendedor obtiene un trato beneficioso para la empresa**

> **El cliente descubre que, para él, el trato no es rentable**

> **La relación comercial entre el vendedor y el cliente se rompe**

▲ CERRAR UNA VENTA IMPRODUCTIVA
Un vendedor que aplica una política de tratos buenos para la empresa y malos para el cliente acabará perdiendo el beneficio que supone un cliente duradero para la empresa.

◄ CERRAR UNA VENTA PRODUCTIVA
La venta ideal consiste en que el vendedor logre satisfacer al cliente, con la ayuda de la dirección de ventas, para que éste mantenga la colaboración con la empresa.

El vendedor acepta unas condiciones que benefician a ambas partes.

El cliente obtiene el producto o servicio deseado.

GANE CONFIANZA

En ocasiones, se compara la venta a una especie de enfrentamiento. Esa concepción provoca que muchos vendedores la consideren un proceso difícil y estresante. Transforme su miedo a fracasar en deseo de triunfar y disfrutará con las operaciones de venta.

2 Cuando se dirija a un posible cliente, confíe en cerrar con éxito la venta.

◀ **ADOPTE UN DISCURSO TRANQUILO**
Hable con claridad y precisión y evite la tentación de terminar rápidamente.

HAGA UNA EXPOSICIÓN CLARA

Si está nervioso, quizá intente exponer su venta de forma rápida. Afronte la negociación con una mentalidad positiva y realice su exposición pausadamente. Hable fuerte y claro y no farfulle. Observe los gestos de los demás y hágales preguntas sobre la exposición para saber si han comprendido el mensaje. Esté siempre dispuesto a hablar más despacio y no tema realizar cortos silencios.

JUZGUE SU CONFIANZA

Diga «verdadero» o «falso» a las siguientes afirmaciones:
● No me dejo influir.
● Sé controlar mis sentimientos.
● Sé automotivarme.
● No necesito la aprobación de los demás.
● Aplico mi propio código de conducta.
● No me quejo de las dificultades.
● Tengo mucha autoestima.
● No dependo de los demás.

● No busco errores ni culpables.
● No me inquieta el futuro.
● No dejo las cosas para más tarde.
● Aprendo de mis errores.
● Trato a los demás como quiero que me traten a mí.

Todas las respuestas deberían ser positivas. Si alguna es negativa, mejore en ese faceta hasta que la respuesta sea positiva. De este modo, asentará su confianza.

DÉ UNA IMAGEN ADECUADA

Su aspecto y actitud influirán decisivamente en la confianza que se cree entre usted y su interlocutor. Sea pulcro en el vestir: un traje o vestimenta bien planchados o un pelo ordenado están transmitiendo un mensaje al cliente. Una buena imagen, frecuentes miradas, firmeza al estrechar la mano y unos modales excelentes constituyen mensajes positivos. De todos modos, nunca confíe en que su carácter y aspecto vayan a ocultar su falta de conocimientos o experiencia. Además, al intentar ocultar su ignorancia y falta de preparación ganará en inseguridad, haciendo inútil su deseo de aparentar seguridad.

ANDRAJOSO

El pelo, desordenado.

La camisa, arrugada.

La corbata, colgando.

IMPECABLE

Buena imagen.

Pulcritud en el vestir.

Los zapatos, informales.

| **3** | Escuche los consejos de los demás acerca de su aspecto y actitud. |

DÉ UNA ▶ IMAGEN ADECUADA
Esfuércese en estar siempre impecable y en dar una imagen positiva.

ASUMA LOS RECHAZOS

Puede que al cliente no le guste usted, lo que vende o cómo lo vende. Siempre existe un elevado riesgo de que el cliente lo rechace. El primer paso para ganar confianza en sí mismo consiste en asumir que una mentalidad negativa es contraproducente e ilógica. Sepa que la imagen que usted tiene de sí mismo es más importante que la que tienen los demás. Nunca presuponga que van a decir «no» a su oferta, pero admita que ellos, como usted, son libres de rechazar su oferta. Recuerde: si rechazan la oferta, no es un fracaso para usted, sino una oportunidad perdida para ellos.

| **4** | Crea en usted si quiere que los demás lo hagan. |

| **5** | Grabe su presentación y corrija los errores. |

DESARROLLE SUS APTITUDES

Los mejores vendedores son gente que siempre quiere mejorar. Leen libros, escuchan cintas, consultan vídeos y CD-ROM y asisten a cursos. Saben que preocuparse de su desarrollo personal y profesional les ayudará a tener éxito en su trabajo.

6 Oriente sus lecturas y clases a la consecución de objetivos concretos.

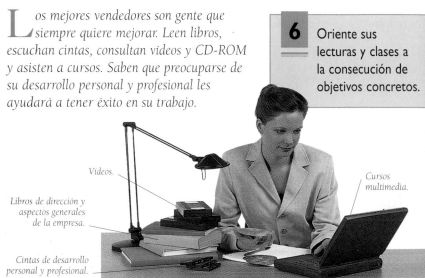

Vídeos.

Cursos multimedia.

Libros de dirección y aspectos generales de la empresa.

Cintas de desarrollo personal y profesional.

AMPLÍE SUS HORIZONTES

Para ser un buen profesional, necesita un conocimiento profundo y actualizado de los principios y técnicas de su trabajo. Los libros –de fácil acceso–, cursos en CD-ROM y vídeos relacionados con las aptitudes y técnicas de venta analizan todas las actividades que este proceso comprende. Estos «accesorios de conocimiento» tienen tanta importancia como sus nociones sobre el producto que vende y sobre la empresa. Los libros sobre la empresa en general y sobre su dirección en particular son útiles para adquirir información básica e incluyen explicaciones del éxito de empresas y profesionales de la venta.

▲ ADELÁNTESE AL CLIENTE
Su éxito se apoya en los conocimientos adquiridos mediante el estudio y la lectura. Intente saber tanto como su cliente, si no más, para garantizar que exista igualdad de condiciones en la relación comercial.

7 Repase sus nuevos conocimientos a menudo y aplique las aptitudes que acaba de adquirir.

APRENDA DE UN MAESTRO

Estos diez principios han sido extraídos del libro *Las reglas de oro de la atención al cliente*, escrito por el empresario automovilístico Carl Sewell:

- Pregunte al cliente qué desea y ofrézcaselo.
- Establezca métodos para garantizar un buen trabajo.
- Prometa poco y proporcione mucho.
- La respuesta al cliente es siempre la misma: sí.

- Autorice a sus empleados a ocuparse de las reclamaciones de los clientes.
- Si no hay ninguna queja es que algo no funciona.
- Calcúlelo todo.
- Pague al personal como si fueran socios.
- Respete a la gente.
- Aprenda las mejores técnicas de venta, imítelas e intente mejorarlas.

MEJORE SUS HABILIDADES

Todas las actividades humanas se pueden mejorar con la formación que, en gran parte, puede ser autodidacta. Cualquier vendedor puede mejorar de forma sustancial sus habilidades básicas (véase imagen inferior). Obtenga la máxima información posible sobre cada una de estas actividades para después intentar aplicarlas de forma separada. Defina un programa de desarrollo personal que incluya plazos, una lista de lecturas y de cursos y, si es necesario, los objetivos para lograr el rendimiento deseado. Una vez alcance esos objetivos, establezca algunos nuevos.

8 Aplique estos principios para sus ventas: ¿le son útiles?

9 Comente con los demás lo que va aprendiendo para memorizarlo.

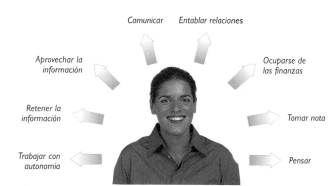

Comunicar · Entablar relaciones · Aprovechar la información · Ocuparse de las finanzas · Retener la información · Tomar nota · Trabajar con autonomía · Pensar

◀ **SEA AUTODIDACTA**
Incremente sus posibilidades de éxito en las ventas aprendiendo a aprovechar el tiempo al máximo (por ejemplo, con lecturas en diagonal o taquigrafía). Desarrolle sus aptitudes para la contabilidad, la resolución de conflictos y la mejora de su capacidad creativa y de memorización.

ORGANÍCESE

Las ventas deben tener una función muy clara dentro de los objetivos generales de la empresa. Además, requieren una buena planificación. Si organiza la documentación de su oficina y sabe gestionar su tiempo, podrá cumplir los objetivos con eficacia.

10 Analice toda la documentación y elimine procesos innecesarios.

REDUZCA LA DOCUMENTACIÓN

Los departamentos de ventas generan montañas de papel. Debe esforzarse en contrarrestar esa tendencia por dos motivos: primero, los vendedores odian la documentación administrativa y, segundo y más importante, en muchas ocasiones, estos documentos son innecesarios. Los informes sobre llamadas, por ejemplo, pueden ocupar el 10% del tiempo de un vendedor, sin que ello se traduzca en una mejora o incremento de las ventas. Proponga simplificar los formularios que utiliza su empresa, así como limitar su utilización al mínimo indispensable. Para ello, puede eliminarlos todos para reintroducir luego los estrictamente necesarios.

▲ **RECURRA AL PERSONAL**
Siempre que pueda, delegue ciertas funciones, como archivar. Esto motivará a su personal y le permitirá dedicarse a otras tareas más productivas.

11 Dedique cada día un momento a acabar los trabajos pendientes.

MEJORE LOS SISTEMAS

Siempre que sea posible, pida la redacción de informes con ordenador y no a mano para poder acelerar el proceso, evitar la acumulación de archivos y facilitar la transferencia de datos. Sean a mano o a ordenador, defina el formato de los formularios que el personal debe redactar. A usted sólo le interesan la información y los datos concretos que le permitan mejorar su rendimiento y optimizar los resultados de la empresa.

UTILICE FICHAS HORARIAS

Una ficha horaria le permitirá aprovechar mejor el tiempo. Durante dos o tres semanas, anote el tiempo que invierte en cada una de sus actividades diarias. Una vez analizadas, se sorprenderá de la cantidad de actividades que resultan innecesarias o poco útiles. Haga una lista de las actividades que sólo usted podía hacer, de las que podría haber delegado en sus subordinados y de las que eran totalmente innecesarias. En el caso de estas últimas, si respondían a órdenes expresas de sus superiores, expóngales la cuestión. El tiempo es su posesión más valiosa: no lo desperdicie. Una vez haya completado el análisis, reorganice su horario incluyendo las actividades que únicamente usted puede desempeñar.

Horario	Actividad
9.00–9.30	*Me ocupé del correo, fax y e-mail.*
9.30–10.00	*Contesté los e-mails, incluidos los personales.*
10.00–10.30	*Presenté un nuevo miembro al equipo de ventas.*
10.30–11.00	*Hablé con José sobre el nuevo equipo informático que encargamos.*
11.00–11.30	*Comuniqué la concesión a Ana de la baja por maternidad.*
11.30–12.00	*Hice cinco o seis llamadas de insistencia a clientes importantes.*
12.00–12.30	*Dirigí la reunión semanal de ventas, que continuó durante la comida.*
12.30–13.00	*Continuación de la reunión.*
13.00–13.30	

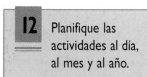

12 Planifique las actividades al día, al mes y al año.

▲ ANOTE SUS ACTIVIDADES
Divida su horario en períodos de media o una hora y apunte cada día a qué dedicó exactamente su tiempo. Consulte este horario para descubrir cualquier pérdida de tiempo.

CONVENCIONES CULTURALES

El empleo del tiempo cambia según el país. A los alemanes no les gustan las alteraciones o interrupciones. Los franceses trabajan más horas porque alargan las comidas. Los británicos trabajan más horas y los americanos son, probablemente, los más rigurosos en los horarios.

ESTABLEZCA OBJETIVOS

Un «supervendedor» se marca como objetivo diario visitar a cuatro clientes, escribir cuatro cartas y realizar cuatro llamadas. Marcarse una disciplina parecida es beneficioso para cualquiera. Pregúntese cuáles son sus objetivos para cada día, semana, mes o año. Si escribe y revisa estos objetivos sabrá situarse y podrá dedicar el tiempo necesario a cada uno de ellos. Si al final del día siempre le queda alguno de sus objetivos por cumplir, replantéese sus horarios. Es muy probable que algunas actividades que nos son esenciales le estén robando parte de su tiempo.

USE LA ELECTRÓNICA

Con la cibernética, las ventas y la comercialización han entrado en una nueva dimensión. Los ordenadores portátiles y los teléfonos móviles, por ejemplo, se han convertido en herramientas imprescindibles.

> **13** Contacte por teléfono, fax o e-mail y se ahorrará muchas visitas.

APROVECHE LA MOVILIDAD

Los progresos en telecomunicaciones han creado al vendedor nómada. Además de disminuir los gastos indirectos, esta situación ha acabado con la necesidad de ir a la oficina todos los días. Los informes de ventas pueden realizarse a través de la red informática, lo que supone un aumento del tiempo disponible para las ventas. Las reuniones personales, además de las conferencias con o sin proyecciones de vídeo, siguen siendo vitales, pero ahora pueden convocarse sólo cuando son necesarias.

Los móviles le permiten llamar a sus clientes desde cualquier lugar.

VENTA MODERNA ▶
Las ventajas de los ordenadores portátiles y de los móviles son considerables; además, permiten que el vendedor aproveche mejor el tiempo de que dispone.

LLEVE ENCIMA UN ORDENADOR

Los ordenadores portátiles y las agendas electrónicas han revolucionado el mundo de las ventas. Los vendedores mejor preparados «llevan» sus despachos y sistemas de recogida

Los ordenadores portátiles permiten que el vendedor pueda trabajar desde cualquier lugar.

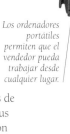

de datos en sus maletines, conectados con los archivos de la oficina central. Así, responden a los clientes desde sus casas u oficinas apretando el ratón. Mientras hablan con un cliente, esbozan una oferta y consultan su viabilidad, entrega o precio. Si cierran una venta, pueden introducir los detalles e integrarlos en el sistema central de la empresa.

TRABAJE ON-LINE

Internet es la herramienta para las ventas con mayor potencial. Todas las empresas se pueden anunciar en la red e, incluso, los vendedores autónomos pueden crear páginas personales. En algunas, el cliente encarga un pedido, paga y realiza consultas sin necesidad de visitar al vendedor. Ciertas empresas le ofrecen programas informáticos para iniciarse en Internet. Puede elegir un programa que prepare los contenidos de su página web y se ocupe de su diseño, programación y mantenimiento, u optar por recibir orientación para que su empresa cree y se ocupe de su página web.

14 Cree páginas web útiles y prácticas.

◀ ANUNCIARSE POR E-MAIL
Anunciarse por e-mail puede provocar la indiferencia del cliente si lo concibe como simples folletos publicitarios. Sea selectivo al decidir a quién envía este tipo de publicidad.

UTILICE EL E-MAIL Y EL FAX

El e-mail o correo electrónico posee ciertas ventajas en términos de coste y comodidad sobre el fax. De todos modos, el fax sigue contando con gran aceptación, tanto la variante autónoma como la integrada en ordenadores. El correo electrónico presenta la ventaja de incluir una versión electrónica del texto que el destinatario puede modificar, aunque el fax es más adecuado para enviar contratos u otros documentos legales que requieran una firma. La principal ventaja del e-mail es, a su vez, su máximo inconveniente. Su facilidad de uso provoca una gran cantidad de mensajes.

15 Tenga en cuenta todas las opiniones sobre su página web.

16 Utilice el correo electrónico sólo para asuntos profesionales.

CÓMO TRATAR CON LOS CLIENTES

Comprender las necesidades de los clientes es vital para poder aumentar las ventas. Esfuércese en encontrar nuevos clientes y refuerce e intensifique los contactos con los actuales.

IDENTIFIQUE LOS DIFERENTES TIPOS DE CLIENTE

La decisión de los clientes respecto a si deben comprar depende de varios factores y no únicamente, como mucha gente piensa, de obtener un precio razonable. Infórmese de las necesidades habituales de los clientes, pero no olvide que debe adaptarse a cada caso concreto.

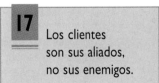
17 Los clientes son sus aliados, no sus enemigos.

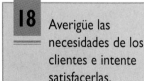
18 Averigüe las necesidades de los clientes e intente satisfacerlas.

CONOZCA LAS NECESIDADES DE LOS CLIENTES

Cada cliente tiene necesidades diferentes que cambian con el paso del tiempo y con la evolución de sus negocios, por lo que no debe encasillarlos. Establezca una tipología de clientes para saber qué clase de productos y técnicas necesitan. Elabore un perfil de cada cliente para ofrecerles aquellos aspectos que más les interesan. Si su oferta satisface las necesidades del cliente, colaborará de nuevo con usted.

IDENTIFIQUE LAS PRIORIDADES DE LOS CLIENTES

Intente adaptar su estrategia de venta a las prioridades y condiciones de sus clientes. Algunos muestran especial interés en cuestiones de seguridad, por lo que quizá quieran contar con una garantía de su competencia profesional. Los clientes a quienes les preocupa la competencia querrán comprar lo mismo que los demás, mientras que aquellos que poseen un gran ego querrán presumir de disponer del mejor producto existente. Por último, algunos rechazarán su oferta sin examinar las posibles ventajas del producto. En ese caso, no malgaste tiempo ni esfuerzos.

 Recuerde que las necesidades de los clientes no son las mismas que sus expectativas.

 Cumpla siempre sus promesas a los clientes.

SEPA INTERPRETAR LA ACTITUD DE SUS CLIENTES

ACTITUD	SÍNTOMAS	DIAGNÓSTICO
CRECIMIENTO El cliente descubre cierta diferencia entre sus resultados actuales y los deseados.	Suele utilizar términos como «más», «mejor» y «mejorar». Este cliente se muestra receptivo a su oferta.	Tendrá muchas posibilidades de cerrar una venta si le demuestra que le brindará los resultados deseados.
PROBLEMAS El cliente constata cierta diferencia entre los resultados exigidos y los reales.	No reconocerá abiertamente sus principales dificultades, pero estará de acuerdo en discutir problemas circunstanciales.	Si de verdad es capaz de eliminar esa diferencia, es el cliente más fácil de convencer Aceptará las posibles ofertas.
CONFORMISMO El comprador potencial considera satisfactoria su actual situación y no quiere cambiar.	Dirá frases como «no venga a hundir la nave». Considera su propuesta como una amenaza, y no una oportunidad.	Puede cambiar su actitud por la de los clientes de CRECIMIENTO o PROBLEMAS si le convence.
EXCESO DE CONFIANZA Este comprador considera satisfactorios sus resultados y rechaza cualquier cambio.	Le dejará muy claro que «el negocio va como nunca», con lo que cualquier cambio sólo puede empeorar las cosas.	Aunque es casi seguro que este cliente tendrá dificultades, sus posibilidades de cerrar una venta serán insignificantes.

ENCUENTRE CLIENTES

Realizar la propuesta adecuada al cliente apropiado en el momento oportuno no se consigue así como así. Antes de abordarlos, realice estudios sobre los clientes y sus empresas con el objetivo de aumentar las posibilidades de sacar la combinación ganadora.

21 Dedique la misma atención a los nuevos clientes que a los antiguos.

22 Planifique sus ventas y ahorrará tiempo y dinero.

DESCUBRA LAS POSIBILIDADES

Los vendedores inexperimentados suelen creer que la mayor fuente de ventas procede de los nuevos clientes. En realidad, los actuales clientes proporcionan las mejores oportunidades de venta, seguidos por los antiguos clientes que han cambiado de negocio o empresa. Usted busca posibilidades «reales» de cerrar una venta o gente que su estudio de mercado haya identificado como posibles clientes. Recuerde que otras empresas también pueden haber descubierto a estos clientes, con lo que la competencia será feroz.

SIGA LAS PISTAS ▼

Estas sugerencias (debajo) le recuerdan las principales posibilidades para la captación de clientes. Siga estas pistas para establecer una lista de la gente que puede estar más interesada en sus productos o servicios. Posteriormente, preséntales sus propuestas.

Clientes de la competencia

Gente que se ha quejado a la empresa

Gente que se ha dirigido a la empresa

Gente a la que su empresa ya ha ofrecido sus servicios

Sus conocidos

Posibles clientes revelados por el estudio de mercado

Conocidos del personal

Gente que ha respondido a su corre

IDENTIFIQUE AL COMPRADOR

Un vendedor puede perder tiempo si negocia con alguien que no tiene presupuesto o potestad para aceptar su oferta. Los vendedores muestran cierta tendencia a presentar las propuestas de venta a alguien con poca influencia en su empresa. Algunas ocasiones actúan así porque se sienten inseguros cuando negocian con los altos directivos; en otras, porque no han sabido identificar al auténtico responsable de la decisión de compra en esa empresa. Incluso si sabe quién es ese responsable, es posible que no pueda dirigirse a él personalmente. Es esencial insistir.

23 Dedique tiempo a descubrir quién toma la decisión de comprar en cada empresa.

▼ DIRÍJASE AL RESPONSABLE
Descubra quién es el responsable último para decidir si la empresa acepta sus ofertas e insista en dirigirse a él. En el caso de actuales y antiguos clientes, eso es todavía más importante.

DIRÍJASE A LOS CLIENTES

Elabore una lista de posibles clientes tras realizar un estudio de mercado

Compruebe más de una vez el nombre y cargo de la persona con quien va a negociar

Intente establecer contacto con el posible cliente por teléfono y/o correo

Confirme su oferta y el horario de las reuniones por escrito

Estudie a sus clientes

Sin salir de su despacho, puede obtener mucha información sobre sus posibles clientes. Una vez los haya identificado, dedique tiempo a descubrir sus necesidades y ambiciones, y a encontrar cualquier oportunidad para aumentar su volumen de ventas.

24 Colabore con sus clientes para activar las ventas.

PREGUNTAS QUE DEBE HACERSE

P ¿Por qué querría ese cliente aceptar mi oferta?

P ¿Qué «oferta especial» podría interesar a ese cliente?

P ¿Por qué nuestra empresa y producto o servicio constituye la mejor oferta para el cliente?

REALICE UN ESTUDIO DE MERCADO

Hágase en su despacho estas preguntas sobre sus clientes potenciales (izquierda) pues constituyen su punto de partida. Al lado de las preguntas, anote dónde puede encontrar las respuestas: sea en sus archivos o páginas web, sea consultando a sus contactos personales. De este modo, ganará tiempo. Por último, documéntese ampliamente sobre su propia empresa y la competencia.

◀ ENCUENTRE LAS OPORTUNIDADES «ÚNICAS»
Estudie las necesidades de sus clientes para poder descubrir las «oportunidades únicas» que sus clientes reclaman. Intente ofrecer un producto o servicio que presente tantas ventajas que la competencia no las pueda superar de ningún modo. Estos productos o servicios reciben el nombre de «oportunidades únicas». Esta expresión, que procede del sector de tecnologías de la información, se aplicaba, en un principio, a las especialidades informáticas con tanta aceptación que la gente compraba ordenadores para poderlas utilizar. Un producto o servicio ganador interesa al cliente.

IDENTIFIQUE LAS NECESIDADES DE SUS CLIENTES

Poseer un profundo conocimiento de las actividades y necesidades de sus clientes es fundamental:

- Mejora de la productividad y de los resultados de la empresa.
- Un producto o servicio totalmente nuevo para el comprador que le reportará cuantiosos beneficios.
- Excelente relación calidad-precio.
- Una oportunidad para mejorar el estatus del comprador dentro de la empresa.
- Solución de problemas graves o de estancamiento de la empresa.
- Igualar y superar a la competencia.

25 La información más fiable de los clientes son ellos mismos.

26 Considere a los clientes como su mayor activo.

27 Céntrese en las ventajas que su empresa puede ofrecer.

INCREMENTE LAS VENTAS

Además de documentarse sobre sus clientes, descubra las necesidades más comunes y generales de las empresas para aumentar sus ventas. Por ejemplo, si vende un producto con todos sus elementos obtendrá mayores beneficios que si vende uno solo de los componentes. Si analiza ciertos aspectos más allá del producto concreto, podrá presentar una oferta más amplia.

¿CONOCE A SU CLIENTE?

Conocer a la perfección las características de un producto es mucho más sencillo que tener un conocimiento preciso de su cliente. Aproveche las siguientes informaciones para comprobar sus conocimientos y adapte su táctica y estrategia a la información que vaya descubriendo.

《 *Me he informado de todo lo necesario sobre mi cliente y el producto que le ofrezco.* 》

《 *Sé exactamente qué quiere el cliente y qué quiero yo vender.* 》

《 *He comprobado quién puede tomar la decisión o influir en ella y qué influencias pueden beneficiarme.* 》

《 *Conozco el valor de mercado actual y futuro de mi cliente en términos de beneficios.* 》

CÓMO COMUNICAR

Cuando se dirige a un cliente, su principal objetivo es cerrar una venta. En el mejor de los casos, tras reunirse alcanzarán un acuerdo satisfactorio para ambos. Para ello, la honestidad y fluidez de la comunicación es esencial.

| 28 | Adapte su actitud a la del cliente. |

MUÉSTRESE RECEPTIVO

Si quiere que su cliente confíe en usted, debe mostrarse seguro. Las miradas y los gestos son vitales para establecer una buena sintonía con el cliente. Sonría y realice gestos naturales, nunca amenazadores. Interprete los gestos de su cliente para saber cuál es su reacción y adaptar su actitud. Preguntar y guardar silencio, en lugar de hablar continuamente, así como tener en cuenta todas las objeciones y quejas, le ayudará a identificar las necesidades de su cliente.

| 29 | No tenga miedo de permanecer callado; aproveche para ordenar sus ideas. |

Los brazos abiertos indican que el cliente está receptivo a las sugerencias.

Sus gestos son positivos durante toda la reunión.

◄ **SEA POSITIVO**
Cuando se reúna con el cliente, muéstrese sincero y positivo. Inclínese hacia adelante, mire constantemente a su interlocutor y acompañe sus afirmaciones más importantes con las manos.

Aplique técnicas de comunicación

TÉCNICA	CÓMO APLICARLA CON ÉXITO
EMPATÍA Póngase en la piel del cliente para analizar todos los aspectos desde su punto de vista.	● Pida al cliente el máximo de información posible sobre él y sus actividades de forma directa y sincera. ● Hágale preguntas para ganarse su confianza. ● Adopte una postura comprensiva, asintiendo o haciendo pequeños ruidos para demostrarle que le escucha.
INVESTIGACIÓN Infórmese sobre las circunstancias que afectan al cliente para comprender su postura.	● Haga preguntas a su cliente que le permitan obtener la máxima información posible. ● Céntrese en encontrar hechos. ● Escuche las respuestas con atención para descubrir aspectos de la personalidad de su interlocutor.
SÍNTESIS Intente resolver todos los conflictos y centre la discusión en los aspectos que le interesan.	● Haga afirmaciones que animen a su interlocutor a darle respuestas constructivas. ● Demuestre con sus respuestas que valora las opiniones del cliente y que éstas han influido en las decisiones que usted ha tomado.
PROGRAMA NEUROLINGÜÍSTICO Aplique esta técnica para lograr una comunicación fluida con el cliente.	● Sin dejar de escuchar atentamente, adapte su lenguaje y gestos a los del cliente. ● Imite las imágenes, fraseología, postura y gestos del cliente, modificando aquellos que sean contraproducentes.
LENGUAJE CORPORAL Recurra a gestos positivos para obtener la aceptación a adhesión del cliente a sus ideas.	● Mantenga una actitud positiva: relaje sus brazos, inclínese hacia adelante, levante un poco la cabeza y mantenga el cuerpo erguido. Mire al interlocutor y no deje de sonreír. ● Realice gestos de comprensión y apoyo si el cliente da signos de disconformidad o nerviosismo.
REACCIONES VISIBLES Responda directamente a las inquietudes y peticiones del cliente para demostrarle que le ha escuchado y comprendido.	● Descubra cualquier inquietud implícita en la discusión e intente disparla. ● Atienda a las peticiones inmediatamente; si ahora no puede comprometerse, explique los motivos y diga al cliente cuándo estará en disposición de hacerlo.

MOTIVE A LOS CLIENTES

Convencer a un cliente potencial requiere intentar descubrir sus motivaciones. Eso le parecerá más asequible si el cliente se muestra amable y colaborador. Si se presenta hostil, luche para derribar el muro que les separa. Dispone de dos recursos para incitar a los clientes a colaborar. En primer lugar, la empatía: póngase en la piel de su interlocutor, háblele sin rodeos e intente convencerle mostrándose amable cuando parezca indeciso. Vaya al grano si el cliente está ocupado o se muestra impaciente. En segundo lugar, la proyección: demuestre autoridad para conseguir la adhesión del cliente. El mejor método de persuasión consiste en combinar estos dos recursos.

30 Recuerde: los signos de hostilidad no tienen por qué ir dirigidos a usted.

▼ **PIDA LA OPINIÓN**

Si un cliente parece hostil o confuso, anímele a que le exponga su opinión, aunque sea negativa, con el objetivo de disipar todos sus miedos.

El vendedor invita de forma franca y amable a que el cliente exponga su opinión.

CONVENCIONES CULTURALES

Si su interlocutor es extranjero, debe tener en cuenta ciertos factores culturales. Las intenciones de los clientes japoneses resultan difíciles de descifrar. Durante las reuniones serán poco comunicativos y, de repente, harán una oferta. Con un francés, deberá tener paciencia hasta que éste decida abordar los temas importantes. A los ingleses les gusta la interacción en las conversaciones. Los americanos siempre mostrarán un gran entusiasmo por su oferta.

SEPA CÓMO RESPONDER A LAS PREGUNTAS

¿Cómo reacciona ante una pregunta cuya respuesta desconoce? Siempre que sea posible, no reconozca su ignorancia, pues eso amimora su credibilidad. Una posibilidad consiste en responder con otra pregunta. Por ejemplo, si le piden: «¿Cuál es su mayor rival?», responda: «¿Cree que la dimensión de la empresa es vital en su sector?». De todos modos, en algún momento deberá demostrar que conoce su sector. Antes de responder a una pregunta, escúchela siempre atentamente y acompañe sus respuestas con gestos para mostrar seguridad.

31 No intente valorar cómo le fue una reunión.

32 Inste a los clientes a revelarle sus objetivos.

33 Intente que, al final de la reunión, el cliente le exponga su opinión.

Los gestos del cliente revelan cierta hostilidad a la propuesta.

ORIENTE LAS DISCUSIONES

Los clientes influirán en el desarrollo de una reunión, tratando de centrarla en los aspectos que les interesan. Intente volver a centrar la conversación en los asuntos que le interesan a usted, después de contestar a sus peticiones con franqueza:

- No se deje arrastrar con facilidad hacia una discusión repetitiva.
- Hacia el final de una reunión en la que haya conseguido imponer sus prioridades, dedíquese a rebatir los argumentos de su interlocutor.
- Replique a todos los argumentos del cliente con absoluta sinceridad.

25

OFREZCA UN BUEN SERVICIO AL CLIENTE

Considere las ventas y el servicio al cliente una misma cosa. Las ventas son la actividad que consiste en atender las necesidades de los clientes, proporcionándoles lo que quieren, cuando y como lo quieren y analizando sus reacciones tras la venta.

34 Compruebe personalmente la eficacia de su servicio.

35 Si la respuesta del cliente no es positiva, tome medidas.

36 Si los clientes se quejan, asuma que tienen razón.

RESPONDA A LAS CONSULTAS DE LOS CLIENTES

Un aspecto esencial para las ventas es la respuesta a las consultas de los clientes, una faceta que, con frecuencia, es descuidada. Las estadísticas sobre las respuestas en la World Wide Web subrayan este problema. Únicamente dos de cada diez consultas reciben respuesta en el plazo de un día, mientras que el 13% no obtiene respuesta alguna. Lo ideal sería que todas las consultas fueran respondidas el mismo día. Conteste siempre al teléfono.

◄ RESPUESTAS A LAS CONSULTAS EN LA RED

En Internet se han creado redes mundiales para la realización de consultas sobre las ventas y, al menos en teoria, para obtener respuestas. A pesar de ello, muchas empresas no saben aprovechar las posibilidades de este sistema en continua expansión, como las estadísticas del gráfico demuestran.

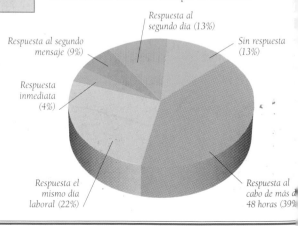

Respuesta al segundo día (13%)

Sin respuesta (13%)

Respuesta al segundo mensaje (9%)

Respuesta inmediata (4%)

Respuesta el mismo día laboral (22%)

Respuesta al cabo de más de 48 horas (39%)

ATIENDA LAS QUEJAS

Todas las quejas de los clientes constituyen valiosas ayudas. Estas quejas son verdades necesarias acerca de la calidad de los productos y servicios de su empresa. Si atiende a las quejas con rapidez y eficacia, conseguirá un alto nivel de satisfacción en el cliente:

● Pida disculpas y ocúpese del problema.
● Actúe con rapidez (en un plazo de cinco días).
● Asegure al cliente que se está resolviendo el problema.
● Ocúpese del problema en persona o por teléfono.

Desde un buen principio, debe dejar claro que está de parte del cliente. Incluso cuando la queja resulte objetivamente injustificada, el cliente tiene otra percepción y ésta es la que cuenta. No descanse hasta encontrar una solución satisfactoria para el cliente.

CONSERVE LA CONFIANZA DEL CLIENTE

Cuando atienda las quejas, aplique las siguientes reglas para conservar la confianza del cliente:

● Reformule la queja del cliente para demostrarle que le ha escuchado y comprendido.
● Dígale al cliente que entiende cómo se siente.
● Asegure al cliente que su opinión es valiosísima.
● Pida disculpas por los problemas causados y compénselos.

---

37 Tenga por costumbre llamar a los clientes después de una venta, para saber si están satisfechos.

▼ CONTROLE LA EVOLUCIÓN
Esfuércese en mantener el contacto con sus clientes y consolide sus relaciones, con independencia de la importancia de la venta.

MANTENGA EL CONTACTO

El servicio al cliente no se acaba con la venta. Su capacidad para identificar las quejas de los clientes y ocuparse de ellas influirá decisivamente en su fidelidad. Debe aplicar el mismo principio con independencia de si el cliente compra maquinaria o adquiere unas vacaciones. Pregúntese: «¿Está satisfecho el cliente?» y «¿Volverá a comprarnos?». Si las respuestas son negativas, encuentre los motivos y averigüe cómo puede solucionarlo. Llame a los clientes con regularidad.

Llame a sus clientes con cierta regularidad para saber si están satisfechos.

Tome nota de las quejas e intente solucionarlas inmediatamente.

SATISFAGA A LOS CLIENTES

Es imposible satisfacer siempre a todos los clientes, pero, al menos, puede intentarlo. Averigüe las necesidades de los clientes y analice constantemente sus respuestas para saber si las ha satisfecho.

> **38** Garantice un servicio de máxima calidad y satisfaga al cliente.

ESTABLEZCA PRIORIDADES

Su objetivo principal –vender y sobrepasar las expectativas del cliente, ganándose su reconocimiento– requiere conocer por adelantado las prioridades del comprador. No suponga que el precio es una de las más importantes. Muchos vendedores pierden beneficios a causa de esa suposición. Los clientes pueden poseer varias prioridades, como las fechas de entrega o la asistencia técnica. Si analiza las prioridades del cliente y la situación de su producto o servicio respecto a los de la competencia, le resultará más fácil cerrar con éxito sus ventas.

Consulte los informes de la empresa para conocer las necesidades de los clientes.

▲ **DESCUBRA LAS NECESIDADES**
Utilice todos los medios a su disposición para descubrir las necesidades de sus clientes: cualquier medio es bueno.

VALORE LAS ▶ PRIORIDADES
Tenga muy en cuenta los aspectos que el cliente valora más de sus ofertas.

Aproveche las opiniones de los clientes para descubrir sus prioridades.

CONSERVE A SUS CLIENTES

El único método fiable para saber si ha sabido atender las necesidades de sus clientes es preguntárselo directamente. Convoque a grupos de clientes para que le comenten aspectos que podría mejorar sus productos o servicios. Asimismo, envíeles cuestionarios o llámeles para que le expongan sus opiniones. Aproveche el contacto cotidiano que algunos miembros del personal mantienen con el cliente para descubrir aspectos útiles. Y, sobre todo, haga saber a los clientes que desea conocer sus impresiones para poder aplicarlas.

SATISFAGA LAS NECESIDADES DE LOS CLIENTES

PREGUNTAS	QUÉ MEDIDAS DEBE TOMAR
MARCA E IMAGEN ¿Gozan la empresa y sus productos de una buena posición en el mercado?	● Averigüe si el cliente tiene una buena opinión de la marca y de la empresa. ● Descubra si el cliente tiene la sensación de que compra el producto apropiado a la empresa adecuada.
TÉCNICA DE VENTAS ¿El modo en que se efectúan las operaciones de venta satisface al cliente?	● Reciban usted o sus vendedores alguna formación sobre atención al cliente y técnicas de comunicación. ● Asegúrese de que ayuda al cliente a tomar la decisión correcta sin presionarlo.
CUMPLA SUS COMPROMISOS ¿Cumple la empresa lo que promete y cuando lo promete?	● Proporcione el producto adecuado en el lugar oportuno y en el momento y cantidad apropiados. ● Mantenga su palabra y no haga promesas que quizá no podrá cumplir.
ADMINISTRACIÓN ¿Se está llevando la venta con eficiencia y sin trámites burocráticos innecesarios?	● Compruebe que las facturas y demás documentos son claros y precisos y que pueden consultarse fácilmente. ● Pida a la empresa que se muestre flexible en la elaboración e interpretación de los contratos.
RESPUESTA ¿Se da siempre respuesta al cliente con rapidez y eficacia?	● Arregle cualquier pequeño malentendido con un cliente con la mayor rapidez posible. ● Reconozca sus errores y corríjalos inmediatamente cuando un cliente le formule una queja.
INFORMACIÓN ¿Conoce el cliente todo lo necesario acerca de los productos o servicios que adquiere?	● Asegúrese de que tanto usted como sus vendedores conocen los servicios y productos que ofrecen. ● Proporcione al cliente toda la información y asistencia necesaria para utilizar correctamente el producto.
PRODUCTO O SERVICIO ¿El producto o servicio adquirido satisface o supera las expectativas de los clientes?	● Compruebe que las modificaciones solicitadas por el cliente se tienen en cuenta. ● Infórmese de si la calidad del producto o servicio satisface al cliente.
SERVICIO POSVENTA ¿Se cuida la relación con el cliente, una vez cerrada la venta?	● Consiga que se atienda y responda inmediatamente a las quejas de los clientes. ● Adelántese a la reacción del cliente y compruebe su nivel de satisfacción respecto al producto o servicio adquirido.

39 Recurra a empresas prestigiosas en estudios de mercado.

 40 Complemente sus estudios con preguntas a clientes.

CONOZCA EL NIVEL DE SATISFACCIÓN DEL CLIENTE

Debe estudiar el nivel de satisfacción del cliente y, si es posible, valorarlo. Para realizar este estudio dispone de dos métodos: el cuantitativo y el cualitativo. El primero, que se suele apoyar en cuestionarios, resulta útil para realizar un análisis estadístico. Se recurre a preguntas «cerradas», es decir, con un límite de respuestas posibles, por ejemplo, las puntuaciones de uno a cinco. Este tipo de estudio está muy arraigado y extendido, aunque resulta bastante caro. Debería complementar el método cuantitativo con el cualitativo, que se basa en entrevistas. Ambos métodos deberían entrar en sus actividades cotidianas.

ESTUDIOS CUANTITATIVOS

Este método recurre a preguntas que obligan a responder con precisión a los clientes, con el objetivo de utilizar las respuestas para diseñar tablas y gráficos. A pesar de ello, no crea que todos los resultados serán exactos. Pueden surgir errores, e incluso una puntuación alta puede ocultar la insatisfacción de los clientes, lo que influirá negativamente en las ventas futuras. Un estudio de la empresa Xerox demuestra que para los clientes que valoran como «Muy positivo» uno de sus productos, las posibilidades de que lo adquiera son seis veces mayores a la de los clientes que lo valoran como «Positivo». En definitiva, si no define con precisión las preguntas de los estudios cuantitativos y combina indistintamente «Muy positivo» o «Positivo» los resultados pueden resultar engañosos.

FORMULE LAS PREGUNTAS CLAVE ▶

El estudio cuantitativo, como sucede con los sondeos de opinión, repite las mismas preguntas a un grupo representativo de personas. Este tipo de estudios debería obtener la respuesta a tres preguntas clave para analizar el nivel de satisfacción de los clientes. Si obtiene estas respuestas, el estudio le habrá proporcionado la información que necesitaba.

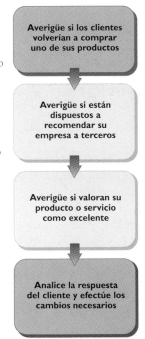

Averigüe si los clientes volverían a comprar uno de sus productos

Averigüe si están dispuestos a recomendar su empresa a terceros

Averigüe si valoran su producto o servicio como excelente

Analice la respuesta del cliente y efectúe los cambios necesarios

ESTUDIOS CUALITATIVOS

El estudio cualitativo consiste en pedir directamente a los clientes su opinión sobre un producto o servicio. Se formulan preguntas que fomentan respuestas sinceras por parte de los clientes. Puede realizarse dentro o fuera de la empresa. Dentro de la empresa, consiste en entrevistar a un grupo de clientes o a uno solo para confeccionar un cuestionario estándar. Las entrevistas personales y exhaustivas son el sistema más revelador, aunque debe evitar influir en las respuestas de su interlocutor. Por ejemplo, en lugar de «¿Cree que nuestro producto es bueno?», pregunte «¿Cuál es su opinión sobre nuestro producto?».

▼ CONSULTE A GRUPOS REPRESENTATIVOS Y DE OPINIÓN

Si la empresa posee un gran número de clientes (una cadena de establecimientos, por ejemplo), puede recurrir a un colaborador externo para que le traslade las preguntas de grupos representativos o de opinión.

COMUNÍQUESE CON CRITERIO

Al igual que puede vender en exceso a un cliente, también puede anunciarse en exceso. Muchas empresas se han lanzado a aplicar el «marketing orientado al cliente», que proporciona (y, a veces, bombardea) al cliente con cartas, llamadas telefónicas y ofertas especiales. Antes de dirigirse a un cliente, tenga un motivo fundado para hacerlo y no le abrume con continuas llamadas que acaben con su tiempo y paciencia. Por contra, conteste o devuelva siempre la llamada de un cliente y proporciónele una respuesta rápida cuando le haga una consulta escrita. Si no lo hace, echará a perder todos los esfuerzos realizados para obtener su confianza.

41 Una buena calidad nunca es suficiente; para progresar, sólo vale la perfección.

42 Hágase pasar por un cliente y vea cómo se atiende su llamada.

Cómo cerrar con éxito una venta

Una venta eficaz necesita una estrategia y planificación adecuadas. Aunque al principio puede recurrir a una presentación en equipo o por carta, su estrategia de venta dependerá siempre de sus aptitudes para la negociación.

Prepare su estrategia

Aumentar la eficacia de sus operaciones de venta requiere una planificación «militar». Debe identificar al cliente con precisión, cubrir todo el mercado con vendedores en todas las áreas seleccionadas y realizar una oferta que se adapte a las necesidades del cliente.

 43 Asegúrese de que su estrategia de venta convence a todos.

 44 Analice la imagen de su marca y su situación para consolidar la estrategia de venta.

Adopte una estrategia

Con independencia de si ofrece un producto conocido o lanza uno nuevo, una estrategia de venta eficaz se apoya en un análisis exhaustivo del producto, del mercado y de la competencia. Debe orientar su estrategia a la captación de nuevos clientes y a la consolidación de las relaciones con los clientes que ya posee. Analice la dimensión y posibilidades del mercado y el nivel de competencia que supone el resto de empresas. Una vez identificado el mercado, asegúrese de dirigir su operación de venta a las zonas comerciales donde se encuentran sus clientes actuales y los futuros.

45 Busque las ofertas más atractivas para los clientes.

Averigüe las necesidades de los clientes mediante la investigación o la consulta a colaboradores

Prepare una presentación atractiva, teniendo en cuenta los objetivos del cliente

Haga su presentación, proporcionando el máximo posible de informaciones

Ofrezca condiciones que tengan en cuenta sus objetivos y las necesidades del cliente

Concluya la negociación con un resumen de los aspectos clave y un elogio del producto

VENDA POR ETAPAS

Antes de poder cerrarla, su venta deberá pasar por varias etapas decisivas que necesitarán una planificación. Defina los resultados que desea obtener, la táctica que va a adoptar y cómo va a reaccionar ante las posibles modificaciones de su plan. Revise su plan durante cada etapa para adjuntar cualquier información que vaya obteniendo. Su análisis de las expectativas y necesidades del cliente será la piedra angular de la estrategia de negociación y venta, así como de su presentación. Compruebe que dispone de toda la información y las estadísticas necesarias para responder a las posibles preguntas del cliente y concluya su presentación con un elogio de las ventajas de su producto o servicio.

CONOZCA EL PRODUCTO QUE OFRECE Y SU MERCADO

Para que su estrategia de venta tenga éxito, deberá recurrir a aptitudes básicas como la persuasión y la negociación. Debe saber que estas aptitudes sólo son eficaces cuando se apoyan en el conocimiento y confianza en el producto o servicio que usted ofrece. Los clientes esperan que un vendedor les explique todo lo que necesitan saber, por lo que resulta indispensable que usted conozca la respuesta a todas las consultas que le puedan formular. No basta con que conozca el producto que ofrece, sino que debe informarse acera de los productos similares para poder establecer comparaciones favorables. Recurra a todos los métodos a su alcance para convertirse en una auténtico especialista de su sector. Consulte la bibliografía sobre el sector, comente aspectos importantes con el personal técnico, de operaciones y de producción y aproveche la formación. Y, sobre todo, aproveche todas sus ventas para aumentar sus conocimientos y, por ende, su competencia.

Aplique el método AIDCA

*L*as siglas *AIDCA significan atención, interés, deseo, convicción y acción. Éstas son las cinco etapas que debe cubrir usted con el cliente antes de cerrar con éxito una venta.*

Aplique los principios AIDCA

Los vendedores que realizan sus ofertas por correo aplican desde hace mucho tiempo el método AIDCA para la redacción de las cartas de venta. Este método es extrapolable a todas las etapas de una operación de venta. Si lo aplica, su empresa dispondrá de una herramienta que dará entidad y sentido a su propuesta, con lo que resultará atractiva y adecuada para el cliente. Primero, capte la Atención del cliente y despierte su Interés. Convierta ese Interés en Deseo por su producto o servicio para poder crear la Convicción que se traduzca en la Acción: la venta.

Sepa captar la atención

Debe saber atraer la atención del cliente para realizar una venta. Puede captar su atención con un acto pomposo y llamativo, con una oferta atractiva o con una presentación de un personaje influyente o respetado. Con independencia de la técnica que aplique, su objetivo es hacerse notar. Tenga en cuenta que hay múltiples vendedores que asedian al cliente con sus propuestas. Defina a conciencia su táctica, sea para una presentación oral, una conversación telefónica o una carta de venta, para distinguirse así de la competencia. Debe atraer la atención e interés del cliente para poder ganarse después su aceptación, admiración y dinero.

46 Elabore una propuesta que pueda interesar a los compradores.

47 Capte la atención del lector con una breve carta.

Atención

Este vendedor redacta una carta breve pero atractiva.

▲ EL MÉTODO AIDCA EN LA PRÁCTICA
Las primeras etapas del método determinan el éxito de su estrategia. Redacte una carta lo más llamativa posible e incluya información relevante que incite al lector a querer saber más

48 Guárdese algún
as en la manga para
poder inclinar la
balanza a su favor.

49 Aproveche los 5
primeros minutos
de la negociación
con un cliente.

DESPIERTE EL INTERÉS

Céntrese en la Atención del cliente para convertirla
en Interés. Para ello, identifique los «puntos de
máximo interés» para el cliente. Prométale, implícita
o explícitamente, que con esa venta satisfará una de
sus principales necesidades. Por ejemplo, «lo que
le voy a ofrecer reducirá en un 50% sus facturas
de teléfono» es el tipo de propuesta que interesa a
cualquier cliente. Por sí sola, una afirmación
que despierta Interés no permite cerrar una
venta, pero predispone al cliente a seguir
escuchando su propuesta.

*Los aspectos clave de
la carta despiertan el
interés del cliente.*

*El vendedor se reúne con el
cliente para proporcionarle
información adicional y
estimular su deseo.*

INTERÉS

DESEO

ALIMENTE EL DESEO

La atención e interés de su cliente no
bastarán para cerrar una venta; además,
debe alimentar su deseo. La reserva de
unas vacaciones resultará un símil muy
ilustrativo. Un anuncio en el periódico
capta la Atención del lector, los detalles
sobre el lugar de vacaciones despiertan
su Interés y las fotografías del folleto
alimentan su Deseo. Los extras, como
posibles descuentos o condiciones de
pago especiales, aumentan el interés
de la oferta. Aunque atender a las
necesidades básicas del cliente es
esencial, los extras pueden aumentar
su interés y constituir su principal
objeto de deseo.

50 Pregúntese por qué su producto es único y aproveche la respuesta.

La cliente comprueba que la oferta es inmejorable.

FOMENTE LA CONVICCIÓN

Consiga que el cliente llegue a la conclusión de que su propuesta es la única que debe aceptar. En el lenguaje publicitario esto se denomina Proposición Única de Venta o PUV. Con este tipo de oferta, podrá convencer al cliente de que su producto o servicio es diferente y mejor. Por ejemplo, si ofrece unas vacaciones y las compara con otras alternativas más caras, fomentará la convicción de que comprar es la decisión correcta. Lo mismo ocurre con una propuesta de seguros completa y atractiva o con unas condiciones favorables de pago. Cuanto menos deba persuadir al cliente porque su oferta ya le convence, más eficaz será la venta.

◄ CONCLUYA LA VENTA
Las últimas etapas del método AIDCA pretenden convencer al cliente de que no existe alternativa mejor, por lo que sólo existe una posibilidad: comprar.

CONVICCIÓN

ACCIÓN
El vendedor invita al cliente a decidirse pronto si no quiere desaprovechar esta oportunidad.

INCITE AL CLIENTE A ACTUAR

La prueba definitiva de la eficacia del método AIDCA es la Acción. El famoso lema en ventas «Compre mientras aún disponemos del producto» aúna dos principios básicos: inmediatez y urgencia. Como desea que el cliente solicite su producto, debe convencerle de que no tendrá esa oportunidad siempre. Aunque la situación parezca artificial, si no le da un carácter de urgencia la operación se alargará, con lo que el interés del cliente podría enfriarse. Si eso sucede, deberá volver a aplicar el método AIDCA desde el principio.

La cliente decide comprar.

51 Ofrezca al cliente un incentivo final para que «firme en la línea de puntos».

52 Muéstrese divertido para despertar el interés del cliente.

CONSIGA QUE EL CLIENTE CAMBIE DE OPINIÓN

El objetivo del método AIDCA es convencer al cliente para que prefiera su propuesta al resto de alternativas, de modo que cambie los productos o servicios que utiliza por los suyos. La técnica más eficaz de este método consiste en identificar los problemas del cliente para poder ofrecerle la mejor solución y realizar una demostración cuando sea posible. Presentarse como una persona colaboradora y con gran sentido del humor, que está en permanente contacto con la empresa o marca, le ayudará a cerrar la venta. Ofrezca descripciones ilustrativas de las ventajas de la adquisición de ese producto e informe al cliente con múltiples detalles sobre sus novedades y aplicaciones.

El cliente estrena el producto.

◀ **REALICE UNA DEMOSTRACIÓN DEL PRODUCTO**
Nunca olvide la utilidad de las demostraciones, si se pueden realizar, para fomentar en el cliente la Convicción que puede desembocar en Acción.

La vendedora exhibe las ventajas del producto.

QUÉ DEBE Y QUÉ NO DEBE HACER

✔ Resalte las ventajas únicas de su producto o servicio.

✔ Concéntrese en la última A del método AIDCA: consiga que el cliente se decida al instante.

✘ No critique despiadadamente a la competencia para convencer a los clientes.

✘ No alargue una operación de venta si el método AIDCA fracasa.

53 Para convencer al cliente, ofrézcale pruebas.

REALICE SU PROPUESTA POR CORREO

Para gran parte de las operaciones de venta, se recurre al correo. Así, la calidad de esta comunicación influirá en el volumen de las ventas cerradas. El correo personal, que requiere una excelente redacción, representa un método de venta muy eficaz.

 54 Haga que alguien lea su carta para ayudarle a detectar errores.

 55 Pruebe diferentes cartas con diferentes grupos de clientes y elija la mejor.

 56 Asegúrese de que todos los folletos que envía destacan su marca.

ESCRIBA PARA TENER ÉXITO

Las cartas de presentación constituyen una herramienta de venta eficaz si se utilizan como introducciones o preparativos para el correo personal. Si recibe una carta de respuesta nunca olvide contestarla y acompáñela siempre con una llamada al remitente. Si tiene éxito en su contacto y consigue una cita con el cliente, escríbale para confirmar los aspectos que debatieron –como si repasara los puntos del día de una reunión– y para iniciar las negociaciones. Asegúrese de que todos los aspectos importantes se pongan por escrito. Finalmente, si la venta no se concreta, no deje de enviar una carta para dejar la puerta abierta a futuras negociaciones.

MEJORE SU REDACCIÓN

Consulte las siguientes indicaciones para redactar una excelente carta de presentación:

- Planifique la carta, preparando una introducción, un cuerpo y una breve conclusión.
- Mejore su velocidad de escritura.
- Escriba como si hablara: con naturalidad.
- Tenga en cuenta al destinatario antes de escribir la carta.
- Utilice el mínimo de palabras.
- Asegúrese de aclarar sus intenciones.
- Recurra a frases sencillas y cortas.
- Elabore un texto fluido y coherente.
- No sea efectista.
- Elimine divagaciones y arcaísmos.
- Prefiera palabras cortas a largas.
- Prefiera las frases activas a las pasivas.
- Evite el argot y las dobles negaciones.
- Lea la carta en voz alta.
- Espere a acabar la carta para revisarla.

VENTA POR CORREO

El sistema de venta por correo personal acaba con las llamadas de teléfono. Además, permite probar diferentes opciones hasta encontrar la combinación que atraiga a un máximo de clientela. Resulta imprescindible poseer una lista actualizada de clientes potenciales, que puede obtener a partir de sus bases de datos o mediante una empresa que se dedique a su elaboración. Enviar folletos publicitarios muy completos resulta caro. Es aconsejable enviar primero una carta a una pequeña representación de sus clientes para comprobar si los beneficios de esta inversión sobrepasarán los costes de preparación, impresión y envío.

El logotipo sirve para resaltar la identidad de la empresa.

Un estilo coherente identifica la marca.

◀ **DISEÑO ELEGANTE**
Dedique tiempo a seleccionar un diseño para sus folletos publicitarios que sea claro, coherente y atractivo.

IDENTIFIQUE LAS MARCAS

Las empresas realizan fuertes inversiones en folletos y en otros materiales publicitarios que distribuyen por correo o en ferias y visitas comerciales. Estos materiales van desde folletos ilustrados hasta listas de precios. Con independencia de su finalidad y coste, deben responder a una pregunta clave: «¿Proporcionará al cliente motivos para que compre en mi empresa y no en la competencia?». Para que eso suceda, necesita adoptar un diseño coherente y de máxima calidad que permita identificar la marca, transmitir mensajes claros e impactantes y evitar un material largo y denso.

ESCRIBA UNA CARTA PERSONAL EFICAZ

Al principio, enumere las principales ventajas del producto

▼

Después de la introducción, extiéndase sobre las ventajas del producto

▼

Explique al destinatario con todo lujo de detalles qué beneficios le reportará el producto

▼

Demuestre el valor del producto o servicio apoyándose en sus ventas o en comentarios elogiosos

▼

Explique al destinatario los beneficios que deja de ganar si rechaza su oferta

▼

Reitere las ventajas del producto en la parte final de la carta

▼

Incite al destinatario a tomar una decisión (explíquele que debe decidirse con rapidez)

UTILICE EL TELÉFONO

Convencer por teléfono a un cliente para que se reúnan, sobre todo si se trata de alguien para quien usted es un perfecto desconocido, es una auténtica aptitud de ventas. Aplique las técnicas correctas para establecer contacto, concertar reuniones y vender por teléfono.

57 Por difícil que sea, busque un encuentro personal con su cliente.

ROMPA EL HIELO

Debe tener una razón importante para efectuar una llamada. Intente utilizar una frase que rompa el hielo para conseguir concertar un encuentro durante la llamada. Formule preguntas apropiadas como: «¿Le ha visitado alguien de Selling Ltd. últimamente?»; o «¿Ha salido mi nombre?». Con independencia de la respuesta, debe reaccionar positivamente. Por ejemplo, si en la primera ocasión en que se dirigió a su cliente, lo hizo por carta, puede preguntarle si la ha recibido. Si su interlocutor no recuerda su carta o su contenido, le está dando una magnífica oportunidad para justificar su llamada.

RECUERDE

● Adaptar su velocidad de palabra a la de su interlocutor facilitará el contacto.
● Nunca interrumpa a su interlocutor.
● Evite utilizar «yo»; en su lugar, diga su nombre unas cinco veces durante la llamada.
● En la primera ocasión, prefiera «Le llama...» a «Soy...», pues causará una mejor impresión.
● Debe evitar los silencios durante la conversación.

Sostenga el teléfono con firmeza.

Tenga un guión a mano.

Mírese en un espejo para asegurarse de que sonríe.

◀ **MEJORE SU TÉCNICA**
Para obtener por teléfono un encuentro, necesitará una buena preparación. Si elabora un guión y controla los gestos de su cara en un espejo, tendrá mayores posibilidades de obtener un resultado positivo.

MANTENGA VIVO EL INTERÉS

Cuando trate con un cliente, muestre auténtico interés por él. Pregúntele: «¿Cómo está?», como si la respuesta «Bien, gracias», fuera importantísima. Si usted y su interlocutor han decidido limitar el tiempo de la llamada a, pongamos, diez minutos, no los sobrepase a menos que su interlocutor muestre claros deseos de alargar la conversación.

Mantenga una actitud amable, incluso si la conversación se pone desagradable e incluye críticas. Recurra a respuestas automáticas como «Es comprensible», o «Nos ocurre con muchísima gente».

58 Convénzase: su interlocutor le resulta simpático. Demuéstreselo.

59 Antes de acudir a una reunión, confirme la hora.

Sonría para mantener un tono de voz positivo.

Tome nota de todas las actividades que deba emprender para no perder contacto con el cliente.

SEA POSITIVO ▶
Transmita al cliente la impresión de que usted está de su lado. Ante cualquier signo de hostilidad, reaccione con tranquilidad y nunca pierda la calma. Nunca haga promesas que no podrá cumplir.

CONCIERTE UNA CITA

Afronte con optimismo la primera llamada que efectúa a un desconocido para obtener una cita. Explique brevemente los motivos de su llamada y recurra a las siguientes preguntas o afirmaciones para obtener una cita, que debe confirmar antes de colgar el teléfono.

« Probablemente, ya habrá oído hablar de mí. ¿Alguien le mencionó mi nombre? »

« Como quizá ya sepa, Selling Ltd. acaba de lanzar al mercado el primer producto totalmente... »

« Estaré encantado de pasar por su empresa para que pueda conocer nuestro nuevo producto. »

« Tengo una cita cerca de su empresa el martes a las 3.00. ¿Podría concederme diez minutos si paso por ahí? »

SAQUE EL MÁXIMO PARTIDO A SUS REUNIONES

Una vez haya conseguido comprender las necesidades y aspiraciones de sus clientes, puede empezar a planificar cómo sacar el máximo beneficio del tiempo que pase con ellos y cómo realizar su oferta para que resulte lo más atractiva posible.

60 Explique a los clientes sólo los detalles clave del producto.

PLANIFIQUE LAS REUNIONES CON LOS CLIENTES

Debe estudiar detenidamente todos los aspectos de su cita con el cliente. Elija un punto de encuentro neutral y recuerde: una reunión demasiado formal puede intimidar a su interlocutor. Eso sí, un ambiente demasiado distendido puede transmitir falta de profesionalidad. Deje claro su objetivo, sea cerrar una venta o actualizar su información sobre las necesidades del cliente. Asegúrese de disponer de todos los datos y cifras acerca de sus productos y de los de la competencia. Calcule el tiempo que puede necesitar para debatir todos los puntos importantes y tenga copias de los datos clave, por ejemplo, en un folleto, para que el cliente pueda disponer de ellos.

QUÉ DEBE Y QUÉ NO DEBE HACER

✔ Prepare preguntas que fomenten una respuesta positiva.

✔ Escuche a su cliente.

✔ Memorice los aspectos que convierten a su producto y empresa en únicos.

✘ No abrume al cliente con excesiva información.

✘ No acose al cliente para cerrar el trato.

✘ No piense en el fracaso: esté seguro de tener éxito.

PROMOCIONE SU PRODUCTO

Cuando se reúna con el cliente, debe proporcionarle toda la información necesaria:

- Diga al cliente todo lo que sabe de sus actividades y aspiraciones actuales.
- Resalte aspectos de su producto que pueden beneficiar al cliente.
- Extiéndase en las características y ventajas del producto y servicio, y en la especialización de su empresa.
- Descubra los puntos fuertes y débiles de la competencia y especialícese en sus productos.
- Prepare una respuesta a los posibles aspectos negativos que el cliente pueda apuntar, ofreciendo soluciones para corregirlos.
- Recurra a los testimonios de clientes satisfechos.

ESCUCHE A SUS CLIENTES

Antes de presentar su oferta, deje que los clientes le expongan sus necesidades y hágales preguntas para comprobar que les ha comprendido. Muéstrese siempre amable y diríjase al cliente por su nombre. Evite utilizar lenguaje coloquial durante la reunión. Intente superar las expectativas del cliente preguntándole si existe algún cambio que aumentaría su interés en el producto o servicio. Intente acabar la reunión ofreciéndole al cliente una concesión inesperada –aunque sea mínima– para que se sienta privilegiado. Por último, dé las gracias por el tiempo que le ha concedido y explíquele cuánto valora tenerlo como cliente.

61 Tenga claros sus objetivos cuando prepara una reunión con un cliente.

CONVENCIONES CULTURALES

Los estadounidenses son conocidos por sus presentaciones breves e ingeniosas. Los británicos no hablan directamente de la venta y dan algunos rodeos antes de abordar los puntos clave. Los alemanes son más formales y utilizan la reunión para informar exhaustivamente sobre sus productos. Los franceses adoptan una actitud reflexiva y acaparan el turno de palabra.

62 Cuando prometa algo acerca de sus productos o servicios, esté seguro de que lo puede cumplir.

REALICE LLAMADAS ▼ DE SEGUIMIENTO

Por lo general, una llamada de seguimiento después de la reunión es positiva porque refuerza la relación con el cliente y consigue que no se olvide de usted.

Actualice su lista de contactos.

Si resulta necesario, consulte el archivo de las reuniones con clientes.

Cómo realizar una presentación

Conseguir que tanto un único interlocutor como un amplio público comprendan su mensaje es la piedra angular de cualquier venta. De la calidad de su presentación dependerá que cierre con éxito una venta.

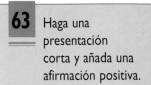

63 Haga una presentación corta y añada una afirmación positiva.

Prepare su presentación

Aunque debe adaptar cada presentación al cliente y producto implicados, debe cumplir una serie de requisitos para transformar el interés inicial de su auditorio en deseo de comprar:

- Describa las ventajas únicas de su producto o servicio.
- Resalte todos los éxitos alcanzados por el producto, y apoye sus afirmaciones con estadísticas y testimonios de clientes satisfechos.
- Explique el peligro de quedarse desfasado respecto a la competencia.
- Convenza al auditorio de que su producto o servicio le permitirá mejorar su situación en el mercado.
- Por último, invite al auditorio a decidirse con rapidez si quiere adquirir su producto.

Calcule el tiempo

Los principios para realizar una buena presentación son los mismos que se aplican a cualquier discurso. Primero, desglose los puntos clave que va a abordar de acuerdo con el método AIDCA (págs. 34-37). Cuánto más breve sea esta exposición, más eficaz resultará. Una persona puede mantener un alto nivel de atención entre 20 y 40 minutos. Divida este período entre los diferentes puntos que quiere abordar y sabrá cuánto tiempo puede dedicar a cada aspecto. Si utiliza material audiovisual, probablemente necesitará un mínimo de tres minutos por aspecto. En ese caso, sólo tendrá tiempo para analizar 10 o 12 puntos.

▼ RESALTE LOS ASPECTOS IMPORTANTES

Destaque las cuestiones clave de su presentación en una breve introducción y aborde a continuación dichos aspectos, antes de concluir con un preciso resumen.

| Enumere los aspectos de que va a hablar | → | Abórdelos | → | Resuma lo que acaba de explicar |

UTILICE MATERIAL AUDIOVISUAL

Una imagen vale más que mil palabras. Si además esta imagen está acompañada de sonido, su memorización resultará aún más fácil. Recurrir a material audiovisual de primera calidad es más sencillo que nunca, gracias a los ordenadores personales y los programas informáticos que permiten crear textos polícromos e imágenes en movimiento para proyectarlos digitalmente sobre una pantalla. Si quiere impresionar al máximo con su presentación, debería apostar por una proyección polícroma, con elementos dinámicos, música e incluso efectos de luz. Recuerde: debe adaptar su presentación audiovisual a las necesidades del cliente.

▲ MATERIAL AUDIOVISUAL
Si el material es de gran complejidad técnica, quizá deba recurrir a un especialista. Antes de su presentación, compruebe que el material funciona perfectamente.

64 Prepare una nueva serie de imágenes para cada presentación.

65 Intente no leer su presentación: memorícela.

CONSIGA IMPRESIONAR A SU AUDITORIO

Para que un mensaje sea eficaz, debe ser fácil de memorizar, persuasivo, original y prometedor:

- Resalte las ventajas de su propuesta y empiece su discurso con una afirmación contundente.
- Aplique la regla de oro para cualquier venta: hable de las ventajas y no de los inconvenientes, y presente el producto o servicio cuanto antes.
- Repita varias veces el nombre del producto.
- No intente desprestigiar a la competencia; explique que su propuesta supera a otro producto.
- No abuse de las explicaciones técnicas, pues podría desorientar a su público.
- Piense todo lo que dice, y diga sólo lo que realmente piensa.
- Por último, acabe su presentación con repetidas imágenes del producto o servicio.

NEGOCIE LAS CONDICIONES

Cuando el cliente haya aceptado adquirir su producto, aún le restará negociar los términos y condiciones de la venta. Es muy probable que ambas partes tengan objetivos diferentes. Prepárese para afrontar esta disparidad de objetivos.

66 Piense qué haría si estuviera en la piel de su cliente.

PREPÁRESE PARA LA NEGOCIACIÓN

Prever lo que su cliente pueda decirle o preguntarle le da una ventaja decisiva para la negociación. Si no está preparado, una mera pregunta puede echar a perder toda su estrategia. Una preparación pobre ha acabado con muchas negociaciones. Prepárese lo mejor posible ensayando con compañeros y pidiéndoles que adopten el papel de cliente. Prepare las preguntas que pueden surgir para poder darles la mejor respuesta y piense en cómo podría ganar la confianza del cliente mediante sus gestos.

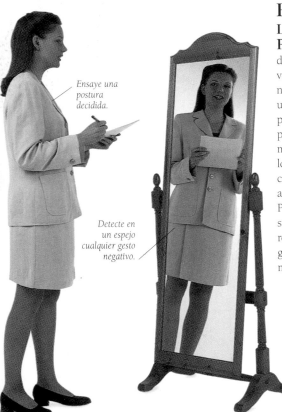

Ensaye una postura decidida.

Detecte en un espejo cualquier gesto negativo.

◀ ENSAYO DE PRESENTACIÓN

Antes de la negociación, practique, preferiblemente frente a un espejo, todo lo que va a decir al cliente. De este modo podrá controlar su expresión oral y corporal para asegurarse de que sea positiva. Todo ello contribuirá a que se sienta mejor preparado y menos nervioso para la reunión.

CONSIGA UN ACUERDO SATISFACTORIO PARA AMBAS PARTES

Su objetivo es imponer más condiciones que satisfagan las necesidades de su empresa. Para ello, debe además atender las necesidades del comprador. Por lo tanto, deberá acudir a la reunión sabiendo perfectamente cuáles son las mejores, regulares y peores condiciones que su empresa puede aceptar. Su primer cometido durante la negociación será confirmar la validez del análisis de sus propias necesidades para poder realizar ajustes, si fuera necesario. Luego, intente satisfacer las necesidades del cliente.

▼ COMBINE LOS OBJETIVOS

Deje muy claros al cliente sus objetivos y escuche con atención los suyos para establecer un acuerdo que los incluya y que satisfaga a ambas partes.

El cliente ratifica sus condiciones.

El vendedor explica sus objetivos.

67 Evite una actitud agresiva y adopte un tono amable y comprensivo.

RESALTE LAS VENTAJAS DEL PRODUCTO

El comprador intentará cerrar la venta a un precio improductivo para usted. Para huir de esta trampa, puede resaltar los beneficios de su producto, aunque es mucho más eficaz especificar las ventajas que supone en tiempo, eficacia y valor. Si el cliente lo puede pagar, el coste del producto tendrá menos importancia que la relación calidad-precio.

HAGA FRENTE A LA COMPETENCIA

En toda negociación suele haber una tercera parte invisible: la competencia. Sus ofertas establecerán los límites de su propuesta. El cliente estará dispuesto a pagar más que lo que le ofrece la propuesta más económica o, incluso, a aceptar unas condiciones menos favorables si usted consigue convencerlo de su superioridad respecto a la competencia. Infórmese sobre todos los movimientos de ésta.

68 En vez de criticar a la competencia, intente mejorar sus propuestas.

ESTABLEZCA EL PRECIO

Conseguir una venta productiva requiere evitar las reducciones de precios por dos motivos. Primero, el precio no suele ser la máxima prioridad para el cliente. Segundo, el precio es clave para la obtención de beneficios. Basar su estrategia de venta en las reducciones de precios puede poner en peligro los ingresos de la empresa, sin garantizar por ello mayores posibilidades de venta. Es preferible negociar un precio de venta a la alza. Siempre que dispongan de la autorización de su superior, los vendedores intentarán conceder al cliente la mayor reducción posible. Del mismo modo, se resistirán a subir el precio por miedo a perder volumen de ventas. Las matemáticas demuestran que resulta más difícil obtener beneficios reduciendo los precios que aumentándolos. Por todo ello, debería resistirse a conceder descuentos.

69 Para empezar, pida el máximo precio que el mercado le permita.

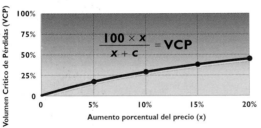

CLAVE x = Aumento porcentual del precio c = Precio menos
y = Reducción porcentual del precio   costes directos (%)

◀ AUMENTAR LOS PRECIOS

Esta ecuación le dirá si puede permitirse cierto aumento del precio, al mostrarle hasta dónde pueden caer las ventas sin que usted pierda beneficios. En el ejemplo, para el que C equivale a 25, si aumenta el precio del producto en un 20%, no perderá beneficios hasta que las ventas no caigan en más de un 44% (Volumen Crítico de Pérdidas). Corra ese riesgo.

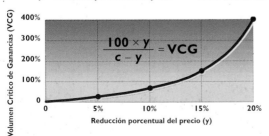

◀ REDUCIR LOS PRECIOS

Esta ecuación le dirá si puede permitirse ciertos descuentos. Muestra hasta dónde deben llegar las ventas con el nuevo precio para obtener beneficios. Si reduce el precio en un 20% y C equivale a 25, las ventas deberán multiplicarse por cuatro (Volumen Crítico de Ganancias) para mantener los niveles de rentabilidad. Aplicar esta estrategia sería un error.

ACUDA AL MÁXIMO RESPONSABLE

Si el proceso de venta está bloqueado a causa del precio, intente realizar una concesión que haga creer al comprador que sale ganando en el trato. Para eso, acuda al máximo responsable o inste a su equipo a acudir a usted. Necesitará este apoyo para reforzar su imagen de flexibilidad y mantener sus condiciones. En una obra de Dickens, un personaje negociaba mencionando a un socio más importante quien, en realidad, no había participado en los asuntos de la empresa durante años. No haga concesiones que perjudiquen a la rentabilidad de la venta.

70 Intente que la negociación discurra siempre por cauces amistosos.

▼ CONSIGA LA AUTORIZACIÓN

Abandone la sala para encontrar o llamar a su superior y vuelva con una concesión especial para el comprador: «Mi jefe dice que, por usted, hará una excepción».

71 Informe a su superior de sus problemas para cerrar una venta.

La implicación del director añade importancia a la concesión.

La vendedora solicita la autorización de su superior para cerrar un trato especial.

CIERRE LA NEGOCIACIÓN

*Para cerrar una venta tiene que conseguir
que el cliente esté plenamente convencido
de que aceptar su oferta es un acierto.
Proporcione toda la información que pueda,
rebata cualquier objeción y pídale al cliente que
se decida con rapidez, aunque sin presionarle.*

> **72** Tenga en cuenta cualquier objeción fundamentada.

PREPARE EL CIERRE DE LAS NEGOCIACIONES

Para cerrar una venta, debe adoptar
una actitud que haga que el cliente
compre. No utilice una fórmula
estudiada: está negociando con
una persona concreta que
requiere un
comportamiento
adecuado a su
personalidad. Algunos
clientes quieren una
propuesta directa, y otros,
poder elegir entre varias
opciones.

El vendedor intenta rebatir las objeciones resaltando las ventajas del producto

Al cliente le interesan las ventajas y acaba aceptando las condiciones.

CONCLUYA LA ▲
NEGOCIACIÓN

*Evite fórmulas preestablecidas para concluir
el trato. Resalte las ventajas de su oferta y,
si es necesario, haga una concesión final.*

> **73** Sea cual sea el resultado, agradezca al cliente su interés.

OBTENGA LA OPINIÓN DEL CLIENTE

Aunque pueden resultar desalentadores, los clientes
que presentan numerosas objeciones tienen tres veces
más posibilidades de comprar que los que no lo
hacen. Eso se debe a que los clientes que no ponen
reparos, no le permiten conocer su opinión y le
complican su objetivo: vender. Por el contrario, el
cliente que se queja, reacciona, fomenta el debate y le
concede pistas para que pueda dar su próximo paso.
Nunca infravalore una objeción: tómela en serio para
poder concluir con éxito la negociación.

ORIENTE AL CLIENTE

Espere hasta haber recibido y facilitado toda la información necesaria para conducir la negociación hacia una conclusión exitosa en la que convenza al cliente para comprar. A continuación, resuma todos los aspectos esenciales, haciendo hincapié en la gran coincidencia entre las aspiraciones del cliente y las prestaciones del producto o servicio. Pregunte al cliente si se satisfacen todas sus aspiraciones, pues así aclarará el estado de la negociación y dispondrá de una última oportunidad para vencer cualquier resistencia tenaz.

CONCLUYA LA VENTA

Es importante actuar con rapidez para no dejar escapar la oportunidad de vender. Cuando llegue el momento de firmar el contrato, el cliente debe poder constatar que las ventajas que usted ofrece coinciden exactamente con sus necesidades, con lo que la decisión de comprar sería un mero trámite. Durante la negociación, tenga un bolígrafo y el contrato encima de la mesa para evitar sacarlo repentinamente, pues podría parecer que está presionando al cliente para que compre.

74 Antes de empezar la negociación, descubra los factores clave.

75 Analice con el mismo rigor fracasos y éxitos y vuelva a aplicar las técnicas que le fueron útiles.

76 Descubra sus errores y saque partido de ellos.

PREPARE LAS PREGUNTAS PARA CERRAR EL TRATO

Pedir al cliente que se decida puede resultar complicado, por lo que debería encontrar algunas frases que le resulten fáciles de decir. Intente que estas frases finales sean la lógica conclusión del proceso de negociación y formule preguntas que presupongan una decisión positiva respecto a la compra:

《 *¿Qué día querría recibir el producto?* 》

《 *¿Quiere que enviemos la factura al lugar de entrega o prefiere que lo hagamos a la oficina central?* 》

《 *¿Quiere que incluyamos un número de pedido u otras referencias?* 》

《 *Aunque resulta más económico hacer un pedido grande, ¿prefiere encargar uno pequeño para empezar?* 》

CÓMO DIRIGIR UN EQUIPO DE VENTAS

La dirección de ventas a corto plazo necesita un control administrativo diario, mientras que a largo plazo requiere la toma de decisiones que afectan al futuro del equipo.

CÓMO LIDERAR UN EQUIPO

Para una dirección de ventas eficaz, resulta esencial saber controlar y motivar a los vendedores para maximizar su aportación como miembros de un equipo sólido, que debe incluir a gente importante de otros departamentos.

 77 Premie los éxitos del equipo, si quiere mejorar su rendimiento.

LAS NUEVE APTITUDES

Desarrolle las siguientes nueve aptitudes:

- Contratar a vendedores.
- Formar a vendedores.
- Enseñar a vendedores.
- Encontrar nuevos clientes.
- Controlar las llamadas.
- Controlar el rendimiento.
- Analizar las ventas.
- Premiar los éxitos.
- Reaccionar ante los fracasos.

ADQUIERA LAS APTITUDES

Como director de ventas usted asume todo un reto: tiene la responsabilidad de alcanzar los objetivos de ventas sin que, probablemente, pueda intervenir directamente. De hecho, usted puede ser un vendedor recién ascendido y sin ninguna experiencia o poca aptitud para la dirección. Esta situación ocurre con frecuencia. Si ése es su caso, reciba alguna formación y asegúrese de que los miembros de su equipo también lo hagan antes de ascender a directores. Cuando sea director, venza la tentación de actuar como vendedor.

CONSERVE A SU PERSONAL

Para dirigir con acierto un equipo de ventas, resulta básico saberlo motivar y premiar sus éxitos. Controle el nivel de satisfacción de los miembros de su equipo. Los buenos vendedores se distinguen de los malos por sus razones para dejar la empresa. A los mejores vendedores les desmotivan especialmente las limitaciones burocráticas para el desempeño de su trabajo. Para los peores vendedores, las gratificaciones son esenciales y las limitaciones son mucho menos importantes. Aplicar controles innecesarios es un error.

MOTIVOS PARA LA MARCHA DEL PERSONAL

BUENOS TRABAJADORES	MALOS TRABAJADORES
1 Limitaciones excesivas	1 Gratificaciones inadecuadas
2 Insatisfacción laboral	2 Falta de expectativas
3 Falta de expectativas	3 Insatisfacción laboral
4 Gratificaciones inadecuadas	4 Relaciones laborales
5 Relaciones laborales	5 Limitaciones excesivas

▼ FOMENTE EL CONTACTO ENTRE EQUIPOS
Fomente el intercambio constante de información entre los diferentes departamentos. De este modo, mejorará el conocimiento que cada departamento posee de la empresa y creará un personal más eficiente.

VENTAS

MARKETING

FABRICACIÓN

ASISTENCIA AL CLIENTE

FOMENTE LA COLABORACIÓN ENTRE EQUIPOS

Su equipo de ventas debería colaborar estrechamente con los departamentos de marketing, asistencia al cliente y fabricación de productos. Fomente una comunicación constante y fluida entre todos los departamentos. De este modo, generará una ventaja competitiva. El personal de marketing, por ejemplo, puede acaparar las ventas de mayor entidad, pero esta actitud exclusivista es contraproducente.

CÓMO PREPARAR A SU EQUIPO

Aproveche que una buena formación tiene mayor influencia en las ventas que en otras facetas de la empresa. Escuche y aprenda de los mejores expertos e invíteles, si es posible, a hablar personalmente con su equipo. Destine el tiempo adecuado a la formación.

 78 Tome notas de las lecciones de los expertos y aluda a ellas.

PREGUNTAS QUE DEBE HACERSE

P ¿Necesita el equipo un mayor conocimiento de los productos o servicios de la empresa?

P ¿Posee un nivel de especialización técnica suficiente?

P ¿Necesita un mayor conocimiento del mercado?

P ¿Mejoraría su rendimiento una formación general en ventas?

P ¿Esta formación debería tener lugar dentro o fuera de la empresa?

AMPLÍE SUS CONOCIMIENTOS

Desgraciadamente, se suele considerar a los vendedores como especialistas que únicamente necesitan ciertas técnicas de ventas, además de un buen conocimiento del producto. Inscriba a su equipo de ventas en cursos que analicen los principios y técnicas básicos de la empresa. De este modo, el vendedor comprenderá mejor las necesidades económicas del cliente y las de su propia empresa. Esta formación permite elaborar con mayor acierto las listas de clientes potenciales. Por último, poseer conocimientos básicos de marketing permitirá que el mensaje del vendedor concuerde con la promoción de la propia empresa.

ANÁLISIS DE UN CASO

Juan era el nuevo director de ventas de una empresa que tenía por norma despedir al peor vendedor del mes. Cuando le llegó el turno a Miguel, éste se quejó a Juan de que, incluso María, la mejor vendedora, no obtendría mejores resultados en su difícil zona comercial. El director se dio cuenta de que a Miguel le convendría una formación y un aprendizaje prácticos por lo que ordenó a María que le ayudara con sus llamadas, detectara y corrigiera sus errores y continuara formándole

hasta que Miguel se convirtiera en uno de los mejores vendedores. Como director de ventas, Juan ordenó a cada uno de sus mejores vendedores que orientara a uno de los peores para poder conseguir un resultado parecido al caso de Juan. Los vendedores más eficientes mejoraron sus aptitudes de formación y Juan modificó el sistema de incentivos para premiar los éxitos individuales y colectivos del equipo. El equipo de Juan experimentó tal mejora en sus resultados que acabó como líder de ventas del departamento.

◀ **FORMACIÓN INTERNA DE LOS EQUIPOS**
El director de ventas del ejemplo podría haber continuado con la severa política que la empresa aplicaba para motivar a sus equipos de ventas. En su lugar, atendió una queja y diseñó una estrategia mucho más eficaz, apoyada en la formación y enseñanza interna de los equipos.

79 Contrate a los expertos que le parecen mejores.

FORMACIÓN TRADICIONAL
Un experto formador puede abordar una amplia gama de temas relacionados con las necesidades del equipo. Sería ideal que además fuera un experimentado director de ventas.

RECURRA A EXPERTOS

Las posibilidades de formación en ventas son mucho más amplias que para el resto de actividades de la empresa, en parte por el volumen de dicha formación, en parte por su carácter eminentemente práctico. Para consolidar y mejorar la formación interna de la empresa mediante la ayuda de expertos, existen dos posibilidades: seguir personalmente sus lecciones o recurrir a las grabaciones. Aunque estos sistemas parezcan caros, aumentarán ostensiblemente el rendimiento general de la empresa.

Al mismo tiempo que aprenden, los vendedores adquieren aptitudes para la formación.

El experto enseña de forma dinámica recurriendo a consejos y reglas generales.

80 Enseñe todos los principios financieros necesarios para sus vendedores, con independencia de sus conocimientos en finanzas.

81 Su equipo debe tener siempre un conocimiento actualizado.

UTILICE LAS REPRESENTACIONES

La principal utilidad de las representaciones, en las que los participantes se alternan en el papel de comprador y vendedor, reside en que enseñan a la gente a descubrir y a afrontar una amplia gama de reacciones. Cada comprador reacciona de manera diferente: algunos se muestran predispuestos a comprar; otros, son totalmente reacios. Es esencial que usted y su equipo hagan interpretaciones realistas de los clientes, que se dividen en arquetipos fácilmente reconocibles, como el agresivo o el desconfiado. Ensayar lo que hay que hacer frente a los diferentes tipos de compradores permite detectar las oportunidades para cerrar una venta.

82 Hay vendedores que necesitan cierto tipo de aprendizaje.

83 Las representaciones han de ser realistas para sacarles el máximo partido.

Vendedor

Cliente hostil

Cliente interesado

Vendedor

▲ **INVIERTA LOS PAPELES**
Representar diferentes situaciones es un divertido sistema de formación. Invite a su personal a descubrir las diferentes reacciones de los clientes invirtiendo los papeles que representan.

SEA UN PROFESOR

No puede enseñar aptitudes para las ventas si se limita a dar clases teóricas. El profesor o mentor debe acompañar al vendedor en el desempeño de sus actividades, evitando inmiscuirse. Las aptitudes de un director como formador son tan importantes como el resto de sus habilidades. Si desarrolla sus habilidades como formador mejorará sus otras aptitudes. Un formador eficiente, además de saber utilizar cada una de sus aptitudes en el momento adecuado, no recurre a la formación colectiva del equipo como sustituto de la orientación individual.

84 Hágase a un lado para que el vendedor se lleve la gloria.

▼ **CONSTATE LOS PROGRESOS**
Compruebe siempre el rendimiento de un trabajador después de la formación. Aconseje constantemente al personal.

RECUERDE

- Las representaciones constructivas de diferentes situaciones de venta son eficaces para la formación.
- Debe resistir la tentación de inmiscuirse en las ventas del personal.
- Nunca debe criticar con acritud los defectos de los aprendices de vendedores.
- Debería detectar los progresos y errores de su equipo.
- Elogie todo trabajo bien hecho.

El vendedor aprende de los consejos constructivos.

La directora expone sus opiniones.

RECURRA A ▶ LA FORMACIÓN
Como demuestra este ejemplo, incluir la formación en la actividad cotidiana de un equipo, dedicándole cierto tiempo, resulta muy beneficioso. Si forma parte de una adecuada planificación del trabajo cotidiano, esta formación podrá mejorar las aptitudes y productividad de todo el equipo.

ANÁLISIS DE UN CASO

Jorge se hizo cargo de una operación de ventas que, a pesar de los esfuerzos de un equipo cualificado y entusiasta, estaba resultando poco productiva. Cuando examinó los resultados de las ventas constató que las mañanas, a pesar de las reuniones cotidianas, eran el momento del día en que se cerraban la mayoría de las operaciones. También observó que la mayor diferencia entre los vendedores más eficientes y el resto se encontraba en el beneficio que sacaban de las llamadas a nuevos clientes (llamadas a ciegas). Jorge decidió trasladar todas las reuniones de formación y de ventas a las tardes para dedicar las mañanas al aprendizaje con formadores. Además, emparejó a cada uno de sus mejores vendedores con uno de sus peores para enseñarles las técnicas de venta más eficaces, entre ellas, dejar de pedir disculpas al cliente por robarle parte de su tiempo, puesto que el producto que le ofrecen es para su beneficio «con lo que debería estarles agradecido». De este modo, los resultados experimentaron una notable mejoría.

Controle las llamadas de ventas

Los momentos del día en que puede llamar a sus clientes son los mejores para vender. Las llamadas de ventas están por encima de las actividades que no guardan relación directa con una venta, como informar de los contactos con clientes u otras tareas administrativas.

85 Valore a menudo la productividad de las llamadas de ventas.

Sepa a quién dirigir las llamadas

Un aumento del número de llamadas de ventas debería traducirse en más pedidos, aunque para que así ocurra, deberá escoger al destinatario de sus llamadas. Por ejemplo, si intenta vender aspiradoras a gente que ya tiene no aumentará las ventas. Para los cóntratos de venta muy extensos, el equipo realizará menos llamadas debido a la gran complejidad de los pedidos. En esos casos, si exige un aumento de las llamadas puede provocar un auténtico fracaso.

◄ CONCÉNTRESE EN LOS RESULTADOS
Una buena gestión de las llamadas resultará eficaz para controlar las ventas únicamente si viene acompañada por el análisis exhaustivo de los resultados. Asegúrese de que su equipo controla sus llamadas y le informa de los resultados.

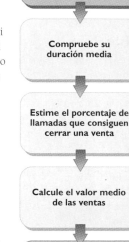

Sume el total de llamadas

Compruebe su duración media

Estime el porcentaje de llamadas que consiguen cerrar una venta

Calcule el valor medio de las ventas

Utilice estas estadísticas para controlar la productividad de las llamadas

▲ CALCULE EL ÍNDICE DE LLAMADAS PRODUCTIVAS
Para no perder el tiempo en llamadas ineficaces.

Un miembro del equipo calcula la duración de la llamada y valora su resultado.

86 Preocúpese por el número de llamadas que se traducen en una venta y no por su duración.

CALCULE LA PRODUCTIVIDAD DEL EQUIPO

En el seno de un equipo de ventas existirán grandes diferencias en la proporción de ventas por llamada. Teniendo resultados similares, la duración de las llamadas del peor vendedor puede triplicar a la del mejor vendedor. Si es consciente de todo ello, podrá mejorar el rendimiento de sus peores vendedores. Si consigue inculcar los métodos y costumbres de los vendedores más eficientes a los menos productivos, debería mejorar la proporción de ventas por llamada del conjunto del equipo. Para ello, ordene a los peores vendedores que observen cómo realizan sus llamadas sus compañeros más productivos.

RESUELVA LOS PROBLEMAS

Tanto los directores como los vendedores deben controlar la duración de sus llamadas. Actividades muy respetables, como resolver los problemas, pueden hacer olvidar al director la enorme importancia de sacar el máximo rendimiento de las llamadas a los clientes. Quizá pueda solucionar un problema relacionado con una venta, pero si intenta arreglar todas las dificultades malgastará parte de su tiempo, si no todo. Ocúpese sólo de los aspectos verdaderamente problemáticos y examine siempre la posibilidad de que el vendedor, quizá con la ayuda de algún consejo, pueda resolverlo solo. Esta experiencia beneficiará al trabajador y al conjunto de la empresa.

87 Los vendedores enseñan a sacar más partido a sus llamadas.

88 Cuando surja un problema, no intente intervenir o resolverlo.

89 Los vendedores se ocupan de los problemas con un poco de ayuda.

QUÉ DEBE HACER Y QUÉ NO DEBE HACER

✔ Controle la proporción de pedidos por llamada.

✔ Examine los resultados de los mejores vendedores.

✔ Conceda tiempo para que el equipo realice otras actividades.

✘ Ni una llamada sin un objetivo definido.

✘ No trate a los peores vendedores como incompetentes.

✘ No quiera resolver todos los problemas.

PREMIE AL PERSONAL Y ESTABLEZCA OBJETIVOS

Para pagar a su equipo de ventas, opte por un sueldo base o por comisiones o bonificaciones que dependan del volumen de ventas. Ofrecer el incentivo o remuneración más oportunos resulta difícil, pero del acierto de su decisión depende la motivación del personal.

90 Utilice remuneraciones e incentivos sencillos y transparentes.

91 Establezca objetivos que, aun siendo ambiciosos, se puedan conseguir.

COMBINE LAS VARIANTES DE REMUNERACIÓN

El sistema más común de paga por resultados (PPR) es la comisión individual, aunque algunas empresas prefieren ofrecer a sus vendedores un salario base. Es imposible afirmar qué sistema es más eficaz, pues ambos presentan inconvenientes. Un sueldo fijo no recompensa los esfuerzos excepcionales, pero una remuneración que se basa sólo en las comisiones no garantiza ni la seguridad ni la estabilidad de los ingresos. El mejor método consiste en combinar ambos elementos.

El vendedor recibe una gratificación por su excepcional esfuerzo.

La directora le abona el sueldo base más una prima especial.

▼ ENCUENTRE EL EQUILIBRIO JUSTO
Combine el sueldo base con las comisiones y las gratificaciones colectivas de modo que garantice al personal unos ingresos mínimos y le ofrezca incentivos.

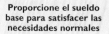

| Proporcione el sueldo base para satisfacer las necesidades normales | Añada comisiones por resultados extraordinarios | Complete la remuneración con incentivos colectivos |

ESTABLEZCA OBJETIVOS

En la mayoría de empresas, los vendedores son el tipo de trabajador que más depende de las PPR y de los objetivos cumplidos. Cómo establezca usted los objetivos es importantísimo porque determina la concesión de las comisiones. Implique a los vendedores en la definición de todos los objetivos, incluyendo aquellos especiales premiados con incentivos extra, para crear un sistema lógico de retribuciones. De este modo, conseguirá que se establezcan los objetivos más ambiciosos factibles para el personal y adecuados a la situación del mercado. Pero si a pesar de esta estrategia no se cumplen los objetivos deberá tomar medidas adicionales. Nunca confunda los objetivos con las previsiones.

▲ COMPONENTES DE LA REMUNERACIÓN

Los incentivos colectivos constituyen ingresos extra para el vendedor. Las comisiones individuales suponen unos recursos adicionales que permiten conservar a los mejores vendedores y aumentar su productividad. El sueldo base cubre las necesidades básicas.

92 Implique a su equipo de ventas en objetivos realistas.

93 Respete su sistema de objetivos. Si bien es cierto que a veces deben corregirse, un exceso de cambios confundirá al vendedor.

CORRIJA LOS OBJETIVOS

Reserve la concesión de gratificaciones especiales para los resultados extraordinarios. Si la empresa ya ha sufragado una campaña publicitaria, no la vuelva a pagar mediante comisiones inmerecidas. Las previsiones de remuneraciones deben corregirse para adaptarse a los cambios, demostrar la competitividad de los sistemas de gratificación y reforzar la motivación del personal. De todos modos, si estas revisiones son demasiado numerosas y habituales, confundirán al personal y perturbarán el trabajo del director. Debe establecer un sistema de objetivos y de concesión de incentivos lo más sencillo y coherente posible. Por ejemplo, muchos de estos sistemas aplican una escala móvil para la concesión de gratificaciones individuales que premia con suma generosidad un volumen muy importante de ventas.

PREMIE LOS
BUENOS RESULTADOS

Compruebe que dispone de sistemas eficaces y precisos para controlar el rendimiento de su equipo. Sepa detectar con rapidez cualquier síntoma de éxito o fracaso y proporcione una base sólida de gratificaciones e incentivos.

94 Revise a menudo su sistema de gratificaciones.

UTILICE SISTEMAS DE INCENTIVOS

95 Los beneficios reales están antes que el volumen de ventas.

Muchas empresas sustituyen las comisiones y las primas por sistemas de gratificación que incluyen incentivos como cruceros por el Caribe, un coche deportivo para los fines de semana o la inclusión del vendedor en selectos clubes de «supervendedores». Estos sistemas son muy útiles para aumentar la motivación del personal, pero nunca podrán reemplazar una correcta organización, formación, enseñanza y gestión cotidiana del personal de ventas.

CONTROLE LOS RESULTADOS

La frecuente comprobación de los resultados de las ventas es esencial para su buen desarrollo. Como director de ventas, su obligación es garantizar la correcta ejecución de las operaciones. Siempre debería conocer el estado de los factores que conducen al éxito, como la situación de mercado y los beneficios obtenidos, y no sólo interesarse por el volumen de ventas. El objetivo global de las ventas es generar los máximos ingresos y beneficios, además de consolidar la situación de mercado de la empresa. Gracias a los ordenadores, puede controlar al día y con mayor facilidad y eficacia que se cumpla este objetivo.

COMPRUEBE LOS RESULTADOS

Para obtener unos beneficios y una situación de mercado óptimos, debe controlar:
● Precios impuestos.
● Margen de beneficios brutos.
● Cuota de mercado de la empresa.
● Costes de las ventas en relación con los ingresos.
● Cantidad de ventas cerradas.

EVITE LAS INJUSTICIAS

Los resultados inmediatos del trabajo de los vendedores son palpables y cuantificables. Es decir, pueden exhibir de inmediato sus éxitos pero también recibir críticas por sus fracasos. Algunas empresas despiden en el acto a aquellos vendedores que no alcanzan su cuota de ventas. Otras se decantan por despedir al desafortunado que es el último en la clasificación. Ambas políticas son contraproducentes. Aunque estas empresas conciben el despido como una forma de motivar al personal, en realidad generan el efecto contrario.

96 Considere a su personal como gente capacitada para mejorar.

97 Felicite públicamente a los vendedores que hayan obtenido excelentes resultados.

PREMIE LOS ÉXITOS

Por lo general, se suele combinar el método del palo para sancionar los fracasos con el de la zanahoria –o gratificaciones económicas– para premiar los éxitos. Juzgue el rendimiento de sus vendedores a partir de dos criterios: la satisfacción del cliente y el volumen de ventas. Aunque las gratificaciones e incentivos económicos son sistemas eficaces para motivar al personal, no son suficientes. La gente necesita saber que se valoran sus resultados. Haga saber a su equipo cuánto valora sus esfuerzos.

REACCIONE ANTE UN FRACASO

A los éxitos se les sumarán algunos fracasos que necesitarán un análisis igualmente detenido:

● Se ofrecieron los productos a los clientes equivocados, es decir, a empresas que no les interesan.
● Se ofreció al cliente adecuado el producto o servicio equivocado.
● El vendedor no supo llevar a cabo la venta.

Sancionar el fracaso sólo tiene algún sentido en el tercero de los supuestos.

PREGUNTAS QUE DEBE HACERSE

P ¿Se debe el fracaso a la falta de aptitudes del vendedor?

P ¿Responde a un conocimiento insuficiente del producto?

P ¿Quizá no poseía suficiente información sobre el cliente?

P ¿Puede imputarse el fracaso a problemas personales?

P ¿Carece el vendedor de aptitudes para las ventas?

Celebre reuniones de ventas

Las reuniones y conferencias sirven para fomentar el espíritu de equipo, celebrar los éxitos, informar de las mejoras, estrechar las relaciones con los clientes y desvelar los nuevos proyectos. En esas reuniones se debe permitir que todos expongan sus opiniones.

98 Repase la última conferencia anual para sacar alguna lección útil.

99 La comunicación dirección-personal será recíproca.

100 Cree un verdadero equipo, no uno que sólo lo sea de cara a la galería.

Refuerce la moral

El tono de una reunión de ventas dependerá de los últimos resultados, aceptables o pobres. Sea como fuere, nunca convierta una reunión en un acto de castigo. Las críticas constructivas, acompañadas por un análisis objetivo de las causas de los fracasos, pueden estimular al personal de ventas a ofrecer un mejor rendimiento. De todos modos, los resultados, el reconocimiento y las gratificaciones tienen mayor importancia. Más concretamente, debe hacer hincapié en el futuro para reforzar la moral del personal. Hágales sentir que forman parte de un equipo que, a pesar de las decepciones evitables e inevitables, debe triunfar.

ANÁLISIS DE UN CASO

Ana, responsable de una operación de ventas en Estados Unidos, recibía constantes mensajes de la oficina central situada en Reino Unido, en los que se la amonestaba por no haber cumplido las previsiones trimestrales de ventas. Si establecía previsiones menos optimistas, la presión de la empresa aumentaba. Ana convocó una reunión urgente con sus vendedores para encontrar una solución. Sus equipos de ventas acordaron intentar realizar un mayor número de operaciones durante los tres meses siguientes. De todos modos, esta decisión acrecentaba aún más la presión. El personal de ventas y Ana estaban de acuerdo en que establecer objetivos a tres meses no tenía sentido en un sector que opera en ciclos de tres años. Además, opinaban que esa decisión les impedía obtener mejores resultados. Acordaron por unanimidad cambiar la periodicidad de los objetivos a tres años y dividirlos en metas anuales y más modestas. Resultado: después de que la oficina central aceptara la propuesta, el negocio empezó a funcionar y la presión sobre Ana desapareció.

◀ EL VALOR DE LAS REUNIONES

Ana tenía un problema que procedía de la oficina central. Sin embargo, una reunión con su personal de ventas y su indicación para que colaboraran en la búsqueda de una solución colectiva permitieron a Ana resolver el problema de su departamento teniendo en cuenta las necesidades de la oficina central.

CELEBRE
CONFERENCIAS ANUALES

La conferencia interna de ventas, que suele ser anual, pretende reforzar la moral y motivación del personal mediante las celebraciones y felicitaciones, y sin intervenir directamente en su desarrollo. Para ello, puede recurrir a oradores especiales, como una autoridad en la dirección de ventas o una celebridad deportiva, aunque el aspecto más importante de la conferencia son, sin duda, los premios. Tanto es así, que en ocasiones se olvida la importancia de que todo el personal de ventas esté ahí reunido. Tenga en cuenta los objetivos de la empresa y prepare este acto pensando en sus necesidades de formación y en la consecución de esos objetivos.

HAGA PARTICIPAR A LOS CLIENTES

Conseguir que los clientes asistan a un seminario de ventas es un excelente método para reforzar la confianza del personal. Estos seminarios ofrecen la posibilidad de que su empresa se distinga con una presentación prestigiosa de un tema importante (un ejemplo podría ser una compañía de telecomunicaciones que alberga un seminario sobre las aplicaciones de Internet). De este modo, sus vendedores pueden relacionarse con los clientes. Seleccione buenos oradores para incitar a los clientes a que consideren sus productos y servicios como su primera opción. Pero un mensaje que intente descaradamente convencer a los clientes fracasará.

▼ **REÚNA AL EQUIPO**
Aunque las ventas son actos sociales, poseen unos objetivos comerciales muy definidos que requieren una planificación adecuada.

101 Aproveche el seminario para consolidar la confianza del cliente en su empresa.

CÓMO VALORAR SUS APTITUDES

Las ventas son la base del éxito para gran parte de las actividades de gestión. Debe consolidar y actualizar sus aptitudes mediante la práctica y la formación. Este cuestionario le indicará cuál es su valor actual como vendedor y qué facetas necesita mejorar. Si quiere conocer sus aptitudes para las ventas, sume el total de puntuaciones y consulte el Análisis. Si su respuesta es «nunca», marque 1; si es «siempre», 4, y así sucesivamente. Aproveche las respuestas para conocer las facetas que debe mejorar.

OPCIONES

1 Nunca

2 A veces

3 A menudo

4 Siempre

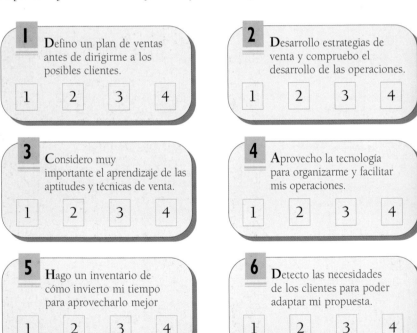

1 Defino un plan de ventas antes de dirigirme a los posibles clientes.

1　2　3　4

2 Desarrollo estrategias de venta y compruebo el desarrollo de las operaciones.

1　2　3　4

3 Considero muy importante el aprendizaje de las aptitudes y técnicas de venta.

1　2　3　4

4 Aprovecho la tecnología para organizarme y facilitar mis operaciones.

1　2　3　4

5 Hago un inventario de cómo invierto mi tiempo para aprovecharlo mejor

1　2　3　4

6 Detecto las necesidades de los clientes para poder adaptar mi propuesta.

1　2　3　4

7 Preparo cuidadosamente mi intervención en una reunión o entrevista de ventas.

1   2   3   4

8 Abordo las empresas una vez he descubierto a quién me debo dirigir.

1   2   3   4

9 Recurro a estudios para aumentar mi conocimiento del sector y los clientes.

1   2   3   4

10 Intento que las reuniones con mis clientes sean amistosas y dinámicas.

1   2   3   4

11 Conozco y aplico las mejores técnicas para cerrar una venta por teléfono.

1   2   3   4

12 Preparo con esmero mis cartas, con técnicas de redacción para aumentar las ventas.

1   2   3   4

13 Me pongo en la piel del cliente cuando preparo las negociaciones.

1   2   3   4

14 Finalizo mis presentaciones con un comentario positivo.

1   2   3   4

15 Pido a los demás su opinión sobre mis presentaciones.

1   2   3   4

16 Adapto mi estrategia de venta a la reacción del cliente ante mi propuesta.

1   2   3   4

17 Digo siempre la verdad, aunque no me convenga que el cliente la conozca.

1   2   3   4

18 Busco el aspecto clave que puede convencer al cliente para que compre.

1   2   3   4

19 Siempre intento que el cliente exponga primero sus expectativas sobre precios.

1   2   3   4

20 Durante las negociaciones, destaco la relación calidad-precio del producto.

1   2   3   4

21 Siempre que cierro una venta, ambas partes quedamos satisfechas.

1   2   3   4

22 Intento preparar una respuesta a las posibles objeciones del cliente.

1   2   3   4

23 Respondo con rapidez a las consultas y reclamaciones de los clientes.

1   2   3   4

24 Escucho las opiniones de mis clientes para poder ofrecerles un producto mejor.

1   2   3   4

25 No impongo limitaciones burocráticas a mis vendedores.

1   2   3   4

26 Intento enseñar para desarrollar mis aptitudes y mejorar las de los demás.

1   2   3   4

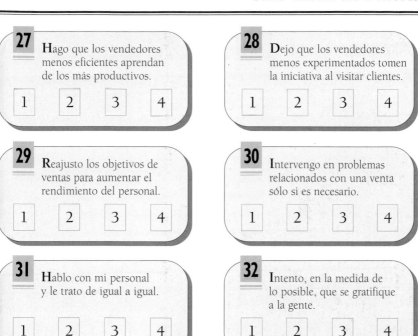

27 Hago que los vendedores menos eficientes aprendan de los más productivos.

1 2 3 4

28 Dejo que los vendedores menos experimentados tomen la iniciativa al visitar clientes.

1 2 3 4

29 Reajusto los objetivos de ventas para aumentar el rendimiento del personal.

1 2 3 4

30 Intervengo en problemas relacionados con una venta sólo si es necesario.

1 2 3 4

31 Hablo con mi personal y le trato de igual a igual.

1 2 3 4

32 Intento, en la medida de lo posible, que se gratifique a la gente.

1 2 3 4

ANÁLISIS

Una vez completada la autovaloración, sume el total de puntuaciones y conozca su rendimiento como vendedor consultando la evaluación correspondiente.

32-63: Su falta de aptitud para las ventas y su mala ejecución pueden afectar a su rendimiento e incluso poner en peligro su puesto de trabajo. Dedíquese, cuanto antes, a aprender las enseñanzas de este libro e intente aplicarlas en sus actividades de despacho y en el trabajo en general.

64-95: Ha progresado considerablemente y su rendimiento puede ser bueno, aunque le falta un poquito de ambición. Trabaje para mejorar las facetas en que ha obtenido las puntuaciones más bajas para poder acceder al siguiente nivel.

96-128: Es un vendedor cualificado y eficiente, pero no deje de esforzarse para mejorar sus habilidades, si quiere seguir así.

ÍNDICE

AGRADECIMIENTOS

AGRADECIMIENTOS DEL AUTOR

Este libro es fruto de la aguda inspiración de Stephanie Jackson y Nigel Duffield de Dorling Kindersley. No tengo palabras para expresar mi enorme gratitud hacia Jane Simmonds y todo el personal de edición y diseño que colaboró en el proyecto con profesionalidad y entusiasmo. También me siento en deuda con muchos compañeros, amigos y expertos en la gestión de empresas que me han orientado con su sabiduría e informaciones.

AGRADECIMIENTOS DEL EDITOR

Dorling Kindersley quiere dar las gracias a las siguientes personas por su apoyo y colaboración en la elaboración de este libro:
Edición: Alison Bolus, Michael Downey, Nicola Munro, Jane Simmonds, Sylvia Tombesi-Walton; **Índice**: Hillary Bird.
Diseño: Pauline Clarke, Jamie Hanson, Tish Mills, Nigel Morris, Laura Watson.
Colaboración en diseño de portada: Rob Campbell.
Fotografía: Steve Gorton; **Colaboración en fotografía**: Nici Harper, Andy Komorowski

Modelos: Jane Cooke, Felicity Crow, Miles Elliot, John Gillard, Ben Glickman, Richard Hill, Cornell John, Chantel Newell, Mutsumi Niwa, Mary Jane Robinson, Kiran Shah, Suki Tan, Peter Taylor, Gilbert Wu.
Maquillaje: Debbie Finlow, Janice Tee.

Proveedores: Austin Reed, Bally, Church & Co., Clark Davis & Co. Ltd, Compaq, David Clulow Opticians, Elonex, Escada, Filofax, Gateway 2000, Geiger Brickel, Jones Bootmakers, Moss Bros, Mucci Bags, Staverton. Gracias a Tony Ash de Geiger Brickel (mobiliario de oficina) y Carron Williams de Bally (calzado).

Estudio de fotografía: Andy Sansom;
Colaboración en documentación de fotografía: Sue Hadley, Rachel Hilford, Denise O'Brien, Melanie Simmonds.

CRÉDITOS DE FOTOGRAFÍAS

Clave: *a* arriba; *ab* abajo; *c* centro; *i* izquierda; *d* derecha; *ms* margen superior.
Powerstock/Zefa: 31, 65; **The Stockmarket**: Jon Feingersh 45;
Telegraph Colour Library: 20; **Tony Stone Images**: Stewart Cohen 12, Peter Correz 19.

BIOGRAFÍA DEL AUTOR

ROBERT HELLER es una de las mayores autoridades mundiales en asesoría de dirección. Fue el fundador y editor de *Management Today*. Es un conferenciante cotizado en Europa, América y Extremo Oriente. Como director editorial del grupo Haymarket Publishing coordinó el lanzamiento de varias publicaciones exitosas, incluyendo *Campaign, Computing* y *Accountancy Age*. Entre sus numerosos y aclamados *best-sellers* se encuentran *El ejecutivo al desnudo, Choque cultural, La edad del millonario habitual, Cómo ganar* (con Will Carling), *La guía completa para la gestión moderna* y *En busca de la perfección europea*. Asimismo, Robert Heller ha escrito con anterioridad diversos libros para la colección *Biblioteca esencial del ejecutivo*, de Dorling Kindersley, publicados por Grijalbo.